نہیں نقش گر، نہیں نقش گر کا کمال ہم!

نہیں نقش گر، نہیں نقش گر کا کمال ہم!

(کہانیاں)

مخدوم ٹیپو سلمان

فکشن ہاؤس

○لاہور ○کراچی ○حیدرآباد

e-mail: fictionhouse2004@hotmail.com

نام کتاب	:	نہیں نقش گر، نہیں نقش گر کا کمال ہم!
مصنف	:	مخدوم ٹیپو سلمان
اہتمام	:	ظہور احمد خاں
پبلشرز	:	فکشن ہاؤس، لاہور
کمپوزنگ	:	فکشن کمپوزنگ اینڈ گرافکس، لاہور
پرنٹرز	:	سید محمد شاہ پرنٹرز، لاہور
سرورق	:	ریاض ظہور
اشاعت	:	2018ء
قیمت	:	-/250 روپے

تقسیم کار:

فکشن ہاؤس: بک سٹریٹ 68-مزنگ روڈ لاہور، فون: 042-36307550-1,37249218

فکشن ہاؤس: 52,53 رابعہ سکوائر حیدر چوک حیدر آباد، فون: 022-2780608

فکشن ہاؤس: نوشین سنٹر، فرسٹ فلور دوکان نمبر 5 اردو بازار کراچی، فون: 021-32603056

فکشن ہاؤس

لاہور ○ کراچی ○ حیدر آباد

e-mail: fictionhouse2004@hotmail.com

ہمہ تن نشاطِ وصال ہم

ہمیں یاد ہے وہ درخت جس سے چلے ہیں ہم
کہ اُسی کی سمت (ازل کی کوریٔ چشم سے)
کئی بار لوٹ گئے ہیں ہم
(میں وہ حافظہ جسے یاد مبدا و منتہا
جسے یاد منزل و آشیاں)
اُسی اِک درخت کے آشیاں میں رہے ہیں ہم
اُسی آشیاں کی تلاش میں
ہیں تمام شوق، تمام ہُو

اُسی ایک وعدۂ شب کی سُو
ہیں تمام کاوشِ آرزو!

یہ خلائے وقت کہ جس میں ایک سوال ہم
کوئی چیز ہم، نہ مثال ہم
جسے نوکِ خار سے چھید دیں
وُہی ایک نقطۂ خال ہم
(میں وہ حادثہ، جو ہزار حادثوں کی طرح
ہوا اسیر حلقۂ دامِ جاں
جو اسیر ہو، مگر اور ایسے ہی حادثوں
کی طرح ہمیشہ رواں دواں
اُسی ایک وعدۂ شب کی سُو!
مری ایک جنبشِ چشم تک
کئی حادثات کا سلسلہ

نہیں جن میں لمحے کا فاصلہ

ہوں اسیر جس میں یہ حادثے، میں وہ حافظہ)

ہمہ تن نشاطِ وصال ہم

مگر آشیاں کے بغیر وہم وخیال ہم

ہیں رواں کہ مل کے زباں بنیں

کوئی داستاں، کوئی نغمہ، کوئی بیاں بنیں

ہے مگر یہ خطرۂ پے بہ پے کہ یہ جستجوئے عظیم بھی

نہ کہیں ہو رازِ تلاشِ منزلِ جستجو،

کہ یہ جانتے ہیں نہیں ہیں اپنا مآل ہم

کبھی موقلم، کبھی پردہ ہم،

کبھی خط ہیں اور کبھی خال ہم

نہیں نقش گر، نہیں نقش گر کا کمال ہم!

(ن۔م۔راشد)

فہرست

دیباچہ

کہانی اور زندگی کا رشتہ بہت گہرا ہے۔ زندگی سے کہانی کو نکال دیا جائے تو یہ محض حادثوں کا تسلسل ہے۔ باشعور زندگی دراصل کہانی سے ہی جنم لیتی ہے۔ کہانی زندگی کو شعور بخشتی ہے۔ کہانی ہی زندگی ہوتی ہے۔ کسی کی کہانی بیان کرنا اس کی زندگی تخلیق کرنے کے مترادف ہے۔

موت بھی ایک کہانی ہی تو ہے!

مخدوم ٹیپو سلمان

حرمت

پچاس سالہ اشرف موٹر سائیکل چلاتے ہوئے ڈول رہا تھا۔ اسے سب کچھ دھندلا دھندلا سا نظر آ رہا تھا۔ ایسے محسوس ہو رہا تھا جیسے وہ دنیا کو اپنی بیوی کی آنسو بھری آنکھوں سے دیکھ رہا ہو۔ ہارن کی آوازوں کی جگہ اس کے کانوں میں آنند بخشی کا یہ گیت بج رہا تھا:

میں اس دنیا کو اکثر دیکھ کر حیران ہوتا ہوں،

نہ مجھ سے بن سکا چھوٹا سا گھر، دن رات روتا ہوں،

خدایا! تو نے کیسے یہ جہاں سارا بنا ڈالا۔

دو کنال کی شاندار کوٹھی کے سامنے اس نے جھجکتے ہوئے موٹر سائیکل روکی۔ گیٹ پر شاہد چوہدری کے نام کی تختی گرمیوں کی ڈھلتی دھوپ میں چمک رہی تھی۔ شاہد کے نام پر اس کے ذہن میں اب بھی ایک چھوٹے بچے کی تصویر ابھرتی جس کی ناک بہہ رہی ہوتی اور جو میلی کچیلی نیکر قمیض میں ننگے پاؤں اس کے ساتھ گلی میں

شٹاپو کھیلا کرتا۔ لاہور کے اندرون بھاٹی گیٹ کے علاقے میں وہ اشرف کا ہمسایہ ہوا کرتا تھا۔ اشرف کی طرح شاہد کا بھی دو مرلہ کا مکان ہوا کرتا تھا۔

گارڈ نے جب گیٹ پر نصب شدہ فون پر اندر پیغام دیا کہ بھاٹی گیٹ سے اشرف صاحب آئے ہیں تو شاہد خود باہر آگیا۔

"ابے شرفو کے بچے، اتنی دیر بعد یاد آئی تجھے اپنے یار کی"، کہہ کر شاہد اشرف سے لپٹ گیا۔

اشرف کی بھی تقریباً آنکھیں بھر آئیں۔ "بس یار شاہد۔۔۔۔۔" اس نے کہنا شروع ہی کیا تھا کہ شاہد نے اسے ٹوک دیا۔

"ابے مجھے غور سے دیکھ، میں شیدا ہوں شیدا۔ تیرا شیدا۔ کوئی چوہدری شاہد صاحب نہیں ہوں۔" اور ہنستے ہوئے ایک دھپ اشرف کی کمر پر رسید کیا۔

اشرف کے ذہن میں ماضی کی مختلف تصویروں اور فلموں کی کھچڑی پکنے لگی۔ وہ چوہدری شاہد سے پیسے مانگنے آیا تھا۔ ایسے وقت میں اسے شیدا کہہ کر پکارنا بالکل مناسب نہ تھا۔ لیکن اگر وہ اصرار کے باوجود اسے شاہد ہی کہتا رہتا تو ممکن تھا کہ چوہدری صاحب چڑ جاتے۔ یہ بھی بڑا غلط ہو جاتا۔ عجیب کشمکش میں پھنس گیا تھا اشرف۔ بچی کی شادی کے لئے پیسے مانگنے آیا تھا، کوئی ایسی بات بھی نہیں تھی کہ شاہد چڑنے پر بھی پیسے دے دیتا۔ شادی بعد میں بھی ہو سکتی تھی۔ کسی اور سے بھی ہو سکتی تھی، جس سے شادی کرنے پر اتنے پیسے نہ خرچ ہوتے ہوں۔ شادی نہ بھی ہو تو کوئی ایسے اچنبھے کی

بات نہیں۔ بہت سی لڑکیاں شادی کے بغیر ہی زندگی بسر کر دیتی ہیں۔ جوگ لے کر۔ پہلے تو بھائی بھابیوں پر بوجھ بن کر دن کاٹا کرتی تھیں مگر اب تو کوئی کام کاج کر کے عزت کی زندگی بھی گزار سکتی تھیں۔ عزت کی زندگی تو ٹھیک ہے مگر جیون ساتھی کے بغیر کیا زندگی ہو گی میری بچی کی۔ اشرف کی پریشانی بڑھتی جا رہی تھی۔ مگر یہ بات وہ کس طرح زبان پر لا سکتا تھا۔ اپنی جوان بیٹی کی اس کے ہونے والے خاوند کے ساتھ نجی زندگی کی باتیں۔ وہ بھی ایک غیر آدمی کے سامنے؟ نہیں نہیں۔ یہ بے غیرتی وہ نہیں کر سکتا تھا۔ وہ صرف شاہد سے پیسے مانگنے آیا تھا تا کہ اپنی بیٹی کی شادی کر سکے۔

"یار بس تیری بڑی یاد آ رہی تھی سو میں نے سوچا آپ کو سلام کر لوں"۔

اشرف نے بے تکلفی اور ادب و احترام کی ایک مخلوط سی فضا پیدا کر دی۔ چلتے چلتے چوہدری شاہد کا ہاتھ اٹھا کہ اشرف کو بے تکلف نہ ہونے پر ایک اور دھپ رسید کرے، مگر پھر وہ ہاتھ بیچ ہی میں رہ گیا۔ وہ بھی فیصلہ نہ کر سکا آیا کہ یہ جملہ تکلفانہ تھا یا بے تکلفانہ۔ دونوں کے بیچ اچانک ایک بھدی سی خاموشی چھا گئی۔ اشرف پہلے ہی اپنی سوچوں کی وجہ سے پریشان تھا اس خاموشی سے اس کا دل بیٹھنے لگا۔ یہ خاموشی طوفان سے پہلے کا سکوت تو نہیں؟ اگر چوہدری شاہد نے پیسے دینے سے انکار کر دیا تو شادی کیسے ہو گی؟ وہ لوگوں کو کیا جواب دے گا؟ انہی خیالوں میں ڈوبا وہ چوہدری شاہد سے ایک قدم پیچھے چلتا ہوا ڈرائنگ روم میں پہنچ گیا۔ اسے اپنے سامنے والے صوفے پر بٹھا کر چوہدری شاہد نے ملازم کو آواز دی۔ اسے چائے اور فروٹ کیک کا کہہ کہ وہ پھر اشرف کی طرف متوجہ ہوا۔

"ہاں بھئی، اب سناؤ کیا حال چال ہے؟"

اشرف اور تھوڑا سا تذبذب کا شکار ہو گیا۔ کیا کہے، کیا نہ کہے۔ بات کیسے بڑھائے۔ پہلے اس نے سوچا کہ دفع کرے یہ سوچ بچار اور سیدھی بات کرے کہ بیٹی جوان ہوئی بیٹھی ہے، ہاتھ پیلے کرنے کو دھیلا نہیں ہے۔ دھیلے بنا لڑکی کی ودائی نہیں ہونی۔ لڑکی کے جہیز اور اس کی بارات کے لئے پیسہ پیسہ کر کے کچھ روپیہ اکھٹا کیا تھا کہ موٹر سائیکل سے گر کر ٹانگ ٹوٹ گئی۔ ٹانگ میں کیل ڈلنا تھا جس کی باری سرکاری ہسپتال میں چھ ماہ بعد آنی تھی۔ اتنی دیر بستر پر پڑا رہتا تو گھر کیسے چلتا؟ ڈوکٹروں کی بڑی منت سماجت کی کہ اس کا اوپریشن جلدی کر دیں۔ کسی نے ڈانٹا، کسی نے دھتکارا، کسی نے مذاق اُڑایا اور کسی نے سنی ان سنی کر دی۔ کسی نے طنز کیا کہ اتنی ہی جلدی ہے تو نجی ہسپتال سے علاج کروالو۔ نجی ہسپتال سے ٹانگ میں کیل ڈلوانے کا فیصلہ کرنے میں دو راتیں لگ گئیں۔ ستر ہزار میں تو بٹیا کا جہیز تیار ہو جاتا۔

باقی بچھی کچھی پونجی دوائیوں پر لگ گئی۔ دو ہی ماہ میں سولہ برس کی کفایت شعاری اور بچت کا قلع قمع ہو گیا۔ اگلے چھ ہفتے وہ بستر پر پڑا پیچ و تاب کھاتا رہا کہ یہ کیسے مسیحا ہیں جو علاج کرنے کے عوض انسان کی زندگی بھر کی کمائی اینٹھ لیتے ہیں۔ اگر انہیں پیسے نہ ملتے تو کیا وہ اسے لنگڑا ہونے دیتے؟ یہ ہیں مسیحائی کے دعویدار؟ اور یہ کیسی ریاست ہے جہاں انسان کی ساری کمائی بچوں کی تعلیم اور بڑوں کے علاج میں صرف ہو جاتی ہے۔ غصہ میں اس نے فیصلہ کیا کہ وہ ڈاکٹروں اور ریاست دونوں کے خلاف مقدمہ دائر کرے گا۔ مگر بستر سے اٹھ کر جب چار وکلاء کے دفتروں کے چکر لگائے تو

معلوم پڑا کہ انصاف کا تو بیڑا ہی غرق ہے۔ اپنا مقدمہ غرق کروانا ہے تو کوئی بھی عام سا وکیل کر لو، جو عرفِ عام میں لفافہ وکیل یا ہومیوپیتھک وکیل کہلاتا ہے۔ وہ فیس مانگے گا تو سو، مگر کندھے پر قالین بیچنے والے پٹھان کی طرح دس پر بھی مان جائے گا۔ اس کے بعد بس تاریخ پہ تاریخ اور سال پہ سال۔ مگر دو اور اقسام بھی وکیلوں کی دستیاب تھیں۔ یہ فیس تو اپنی مرضی کی اور کافی زیادہ لیتے تھے مگر مقدمہ کا فیصلہ کافی جلدی کروا دیتے تھے۔ ایک قسم ان وکلاء کی تھی جو ججوں کو ڈرا دھمکا کر کام نکلوا لیتے تھے اور دوسرے ان ججوں کے ٹاؤٹ تھے جو محکمہ رشوت ستانی کے چھاپے کے ڈر سے خود پیسے نہ پکڑتے تھے۔ لہٰذا یہ پیسے ان کے ٹاؤٹ وکلاء پکڑ کر مقدمات کے فیصلے جلدی اور حسب خواہش کروا دیتے تھے۔ نہ تو اس میں اتنی ہمت تھی نہ اس کی جیب میں اتنی سکت کہ وہ ان لائسنس یافتہ غنڈوں اور دلّوں کی خدمات حاصل کر سکتا۔ لہٰذا ایک بار پھر وہ عدل و انصاف کی دیومالائی داستانیں ذہن سے جھٹک کر روز کی روٹی کمانے پر جٹ گیا۔

"اللہ کا بڑا شکر ہے۔ بھابی بچے کیسے ہیں؟"، ہمت کر کے اشرف صرف اتنا ہی کہہ سکا۔

"ہاں بھئی مزے میں ہیں سب۔ بڑا بیٹا میرے ساتھ کاروبار میں ہاتھ بٹاتا ہے اور چھوٹا امریکہ سے انجینیر' بننے کے بعد اب مقابلے کے امتحان کی تیاری کر رہا ہے۔ بیٹی پڑھنے ولایت گئی ہے، واپسی پر اس کی شادی کر دیں گے۔" چوہدری شاہد نے بتایا۔

چوہدری شاہد کے بیٹوں کی روئیداد سن کر اشرف کے دل میں ایک ٹیس سی اٹھی۔ اس کا دل کیا کہ چوہدری کا منہ نوچ لے۔ ایک چھابڑی والے سے بیس سال میں وہ ارب پتی کس طرح بن گیا تھا اشرف اچھی طرح جانتا تھا۔ اس کے دو نمبر کے دھندوں کی لوگ اس کے پیٹھ پیچھے تو بہت باتیں کرتے تھے، مگر سامنے اس کو جھک جھک کر سلامیں کرتے تھے۔ بڑا بیٹا کاروبار میں۔ چھوٹا امریکی انجینیئر۔ مقابلے کا امتحان۔ اس کی آنکھوں میں یک دم آنسو آگئے اور ان آنسوؤں میں اس کے اپنے بیٹے کی شبیہ تیرنے لگی۔ اردو میڈیم سرکاری سکولوں میں جانے کیا پڑھاتے تھے کہ میٹرک میں اس کے اچھے نمبر نہ آئے۔ حالانکہ وہ ساری ساری رات پڑھا کرتا تھا۔ نمبر اچھے نہ آئے تو کسی اچھے کولج میں وظیفہ نہ مل سکا۔ نجی طور پر پڑھانے کی اشرف میں سکت کہاں تھی۔ بڑی مشکل سے بی اے کیا اور پھر دو سال نوکری کے لئے مارا مارا پھرتا رہا۔ نہ نمبر اچھے تھے، نہ فرفر انگریزی بول سکتا تھا اور نہ ہی کوئی سفارش تھی۔ بڑی مشکل سے ایک جگہ بیرے کی نوکری مل سکی۔ چودہ جماعتیں پڑھنے کے بعد صبح گیارہ بجے سے رات دو بجے تک لوگوں کے جھوٹے برتن مانجھتا اور بات بات پر ان کی اوئے توئے برداشت کرتا۔ اسے دیکھ دیکھ کر اشرف کا دل کڑھتا تھا۔ مگر چوہدری شاہد کی بیٹی کی شادی والی بات اس نے سنہری موقع جانا۔

''یار چوہدری'' اشرف نے پھر اسے بڑا ناپ تول کر مخاطب کیا ''تیری بھتیجی کی بھی میں نے شادی طے کر دی ہے۔''

"اچھا" چوہدری شاہد خوش ہو کر بولا" بھئی بہت بہت مبارک ہو۔ بتاؤ میں اپنی بھتیجی کے لئے کیا کر سکتا ہوں؟" چوہدری دنیادار آدمی تھا، شاید اشرف کے آنے کا مقصد سمجھ گیا تھا۔

اشرف بھی اب اور ضبط نہ کر سکا "یار میرے پاس شادی کے لئے پیسے نہیں ہیں"۔

"ابے بس کر دے شرفو، ابھی تیرا یہ بھائی مرا نہیں ہے۔ تو تاریخ پکی کر اور کوئی فکر نہ کر"۔

اشرف کا دل بھر آیا اور اس نے بے اختیار ہو کر چوہدری شاہد کا ہاتھ چوم لیا۔ حرام کے پیسے نے اس کی حرمت رکھ لی تھی۔

□□□

باپ

ایک ہی باپ تھا میرا، وہ بھی مَر گیا سالا۔ آپ شاید حیران ہو رہے ہوں کہ میں اپنے والدِ بزرگوار کے بارے میں کیسے الفاظ استعمال کر رہا ہوں۔ کیا بتاؤں آپ لوگوں کو، دل تو میرا کرتا ہے مغلظات بکنے کو مگر برداشت کرتا ہوں۔ پتہ نہیں کیا خبط سوار تھا اُسے خالق بننے کا۔ ماں کے پیٹ میں بیج بو کر مجھے پیدا کیا، اپنے جگر پر شراب کی بارشیں برسا کر سرطان پیدا کیا، اُلٹی سیدھی حرکتیں کر کہ دولت، شہرت اور عزت پیدا کرنے کی کوششیں کرتا رہا۔

اس سے پہلے کہ آپ لوگ مجھے نافرمان اولاد جان کر مجھ پر فتوے جاری کر دیں میں آپ کو بتاتا چلوں کہ میرا باپ جب مرا تو ابھی ساٹھ کا نہ ہوا تھا، پچاس کے پیٹے میں تھا۔ جبکہ میں اب تک زندگی کی اسّی سے زیادہ بہاریں دیکھ چکا ہوں۔ بہاروں میں البتہ کچھ گردشیں بھی تھیں۔ جن میں سے چند بجز غلام گردشیں تھیں اور کچھ گویا

گردشِ رنگِ چمن۔ زندگی نے مجھے اُس مقام پر لا کھڑا کیا ہے کہ اب میں اپنے باپ کی عمر کے لوگوں کو بیٹا کہہ کر پکارتا ہوں۔

میرا باپ ایک محنتی، ذمہ دار اور شریف آدمی تھا۔ شریف اور شرابی پر آپ لوگوں کو شاید اعتراض ہو مگر میرے لئے اِن دونوں شینوں میں کوئی فطری اختلاف نہ ہے۔ میرا باپ شریف اس لئے تھا کہ کسی دوسرے کو نقصان پہنچا کر اپنا فائدہ حاصل کرنے کا قائل نہ تھا۔ ایک بڑی بین الاقوامی کمپنی میں اچھی ملازمت کرتا تھا، زندگی کے جس موڑ پر جو کچھ حاصل کرنا چاہتا وہ نہ کر پا رہا تھا اس لئے ہر وقت بے سکون رہتا تھا۔ ہمیشہ اور زیادہ کی تلاش میں سرگرم۔ خوبصورت بیوی۔ رئیس سسرال۔ اچھی آمدن والی نوکری۔ صحت مند ہونہار بیٹا۔ مہنگا گھر۔ علاقے میں شہرت۔ معاشرے میں عزت۔ بہت سارے خواب تھے اس کے۔ لیکن زندگی میں یہ سرخ رُو ہونے کے لئے کافی نہ تھے۔ اور بھی بہت سے سپنے پال رکھے تھے۔ مثلاً ایک خواب یہ بھی تھا کہ اپنے اکلوتے بیٹے کو ولائیت سے تعلیم دلوا کر اسکے لئے اتنا ترکہ چھوڑ کر مرے کہ اسے کبھی کسی چیز کی کمی نہ محسوس ہو۔ اور اپنے یہ تمام خواب پورے کرنے کے لئے وہ سر توڑ کوششیں کیا کرتا؛ دن رات۔

بیوی خوبصورت تھی مگر سسرال رئیس نہ تھا۔ نوکری اچھی تھی پہ آمدن زیادہ نہ تھی۔ گھر اپنا تھا پر مہنگا نہ تھا۔ بیٹا صحت مند تھا لیکن ہونہار نہ تھا۔ علاقے میں عزت تھی گو معاشرے میں شہرت نہ تھی۔ محنتی ہونے کے ساتھ ساتھ میرا باپ ایماندار اور ذہین بھی تھا۔ غریب گھرانے سے تھا اس لئے تعلیم کے دوران ہی نوکری

کرنا پڑی۔ تعلیم پوری نہ تھی سو نوکری چھوٹی ملی۔ سارا دن نوکری کرنا ہوتی تھی اس لئے تعلیم دیر سے مکمل ہوئی۔ چھوٹی نوکری میں شادی ہوئی لہٰذا سُسرال رئیس نہ مل سکے۔ جن اعلیٰ یونیورسٹیوں سے ڈگریاں لے کر امراء کے بچے پچیس سال کی عُمر میں مینیجر لگ جاتے ہیں، وہاں سے ڈگری لیتے لیتے میرا باپ چالیس ٹاپ گیا۔ پندرہ برس کا یہ فاصلہ جان لیوا ثابت ہوا۔

کورپوریٹ دنیا کی انتظامی سطح پر پہنچ کر میرے باپ پر یہ راز کھلا کہ یہاں اڑنے کے لئے تو پَر ہی کوئی اور درکار ہیں۔ اس کی عُمر کے لوگ پچھلے پندرہ سال سے کمپنی کے ایوانِ اقتدار میں تھے، ان کے آپس میں اور دوسری کمپنیوں کے افسروں سے ایسے تعلقات بن چکے تھے جن میں کسی نووارد کا داخلہ ممکن نہ تھا۔ اپنے چاروں طرف اٹھی ہوئی شیشے کی دیواروں کو وہ بری طرح محسوس کرنے لگا۔ اچھی طرح ہاتھ پاؤں مار کر جب اسے یقین ہو گیا کہ ان غیر مرئی دیواروں کو پار کرنا اس کے بس کی بات نہیں تو اس نے ان کے احساس سے بھاگنا شروع کر دیا۔ ساری ساری شام جام چلنے لگے۔ یہ بات وہ کبھی نہ جان سکا کہ انسان کی ترقی کی حدود اس کی پیدائش کے مقام سے منسلک ہوتی ہیں۔

شیشے کی دیواروں کے اِس پار یا گھر بن سکتا تھا یا بیٹا ولائیت پڑھنے جا سکتا تھا۔ گھر بن گیا اور بچے کھچے خواب اس میں دفن ہونے لگے۔ جام بڑھنے لگے۔ یونیورسٹی اور سرطان کے ہسپتالوں کے میرے چکر آگے پیچھے ہی شروع ہوئے۔ پہلے پہل جو باپ کو مہینے میں ایک آدھ بار لے کر جایا کرتا تھا، چند ہی سالوں میں ہر دوسرے دن لیجانے

لگا۔ اور پھر ہسپتال میں داخلہ ہو گیا۔ میں اس کے ساتھ ہی رہنے لگا۔ تیسرے روز میرے باپ نے چھٹیوں کے بارے پوچھا تو میں نے بتادیا کہ نوکری چھوڑ دی ہے۔ اس نے ایسی ہونق نگاہوں سے مجھے دیکھا کہ میں گھبرا ہی گیا۔

"اب کوئی ایسی زبردست نوکری بھی نہیں تھی ابو۔"

میں نے کچھ ہڑبڑا کر اسے تسلی دینی چاہی۔ ویسے بات کچھ اتنی غلط بھی نہ تھی۔ لیٹے لیٹے وہ ہلا بھی نہیں، مگر اس کے لاغر جسم کے تمام پٹھے یوں اچانک ڈھیلے پڑ گئے کہ ایک بار تو میرا دل ہی بیٹھ گیا۔ ایسا لگا کہ اس کے بیمار بدن سے جان نکل گئی ہو۔ لیکن وہ زندہ تھا۔ بس شرمندگی کے مارے زندہ درگور ہوا چاہتا تھا کہ اپنے بیٹے کو اعلیٰ تعلیم دلوا کر اونچی نوکری پر فائز نہ کروا سکا تھا۔

ہسپتال میں گزرے وہ چند ماہ عجیب وغریب ثابت ہوئے۔

ہسپتال کے تیسرے ہی ہفتے اس نے مجھ سے اپنے خوابوں کی باتیں شروع کر دیں۔ یہ عجیب بات تھی کیونکہ اس سے پہلے ہمارے بیچ ہمیشہ زندگی کے مقاصد کے تعیُن اور ان کو حاصل کرنے کی منصوبہ بندیوں پر ہی بات ہوا کرتی تھی۔ اب بسترِ مرگ پر پہلی بار میرے باپ نے مجھ سے بات کی کہ وہ زندگی کو کیا دیکھتا تھا۔ اس نے کیا کیا خواب بُن رکھے تھے اور کس طرح ان خوابوں کے ٹوٹنے سے اس کی زندگی چکنا چور ہو گئی تھی۔

قبر میں پاؤں لٹکا کر میرے باپ نے مجھے بتایا کہ آج تک جو زندگی وہ جیتا آیا تھا وہ دراصل میرے روشن مستقبل کے لئے کاٹی گئی ایک سزا تھی۔ اس کی زندگی تو اس وقت شروع ہونی تھی جب وہ اپنی تمام ذمہ داریوں سے سبک دوش ہو کر ریٹائرمنٹ کی آزاد اور بے فکر زندگی کا آغاز کرتا۔ پھر آہستہ آہستہ اس نے مجھے بتانا شروع کیا کہ اپنی اس مشقت بھری زندگی میں اس نے کیسی چھوٹی لیکن بڑی قیمتی قربانیاں دیں تھیں۔ کیسے وہ گانا سیکھنا چاہتا تھا مگر جلدی ترقی حاصل کرنے کی جستجو میں وہ اس شوق کے لئے کبھی وقت ہی نہ نکال سکا اور اسے ریٹائرمنٹ تک اٹھا رکھا۔ پھر یہ کہ اسے دنیا دیکھنے کا کس قدر جنون تھا مگر پیسے جوڑنے کے چکر میں اسے بھی ریٹائرمنٹ پر موقوف کر دیا۔ کیسے اس کی زندگی نے اس کے بڑھاپے سے جنم لینا تھا۔ مگر اب بڑھاپا ہی اسے دغا دے گیا تھا۔

گزرتے دنوں کے ساتھ اس کی آواز دھیمی ہوتی گئی۔ اور پھر اس میں ایک خرخراہٹ سی شامل ہو گئی۔ عجیب صورتِ حال تھی۔ ایک بے بس مرتا ہوا انسان بھرپور زندگی کی خواہش میں غلطاں۔ میرے باپ کا جسم اور خواہشیں میرے سامنے دم توڑ رہی تھیں۔ میرا دل خون کے آنسو روتا تھا کہ میرا باپ آخرِ کار جینا چاہتا تھا مگر اب پانی سر سے گزر چکا تھا۔

پھر ایک دن میری دنیا ہی بدل گئی۔

میرے باپ نے مجھ سے کہا کہ وہ جانتا تھا کہ اس کا بیٹا اس کے فلسفۂ حیات کا اسی کی طرح معتقد ہے اور اسے پورا یقین تھا کہ اس کا بیٹا اُس کے نقشِ قدم پر چلے گا۔ یہ کہتے ہوئے اس نے مجھ سے وعدہ لیا کہ اپنے باپ کے ادھورے سپنے پورے کرنے کے لئے میں اپنی زندگی تیاگ دوں گا؛ سپنے جیسے کہ ڈھیر ساری آمدن والی نوکری اور مہنگا گھر وغیرہ۔ اپنے باپ کے نیم مردہ ہاتھ میں ہاتھ دیے یہ وعدہ کرتے ہوئے میرا دماغ ماوف ہو چلا تھا۔ سب کچھ ایک فلم کی مانند لگ رہا تھا۔ اُس رات ہسپتال کے کمرے میں میرا دَم گھٹنے لگا۔ میں چپکے سے باہر نکل آیا اور ہسپتال کی چھت پر بیٹھ کر خوب رویا۔

چالیسویں کے بعد میں اپنے باپ کی قبر پر کبھی کبھار ہی جاتا۔ وہ بھی صرف اُس وقت جب اپنا کوئی نہ کوئی شوق پورا کرلیتا۔ اب پسند کی شادی کر کہ۔ پھر اِس مُلک گھوم کر۔ اب مصوری سیکھ کر۔ پھر اُس مُلک گھوم کر۔ اب اچھی نوکری چھوڑ کر من پسند ادنیٰ نوکری کر کہ۔ اب۔۔۔۔۔اب۔۔۔اب۔۔۔

میں اپنی اَسّی سالہ زندگی میں اُس سے آدھی دولت بھی جمع نہیں کر سکا جتنی میرے باپ نے پچپن سال میں کرلی تھی۔ مگر میرے پاس اپنے بچوں کو بتانے کے لئے میرے ٹوٹے ہوئے اور ادھورے سپنے نہیں بلکہ دلچسپ و عجیب واقعات، مشاہدات اور تجربات سے مزیّن ایک بھرپور زندگی ہے۔ اس زندگی کے بارے میں جب میں اپنے بچوں کو بتاتا ہوں تو وہ اداس نہیں ہوتے بلکہ خوشی سے سرشار ہو جاتے ہیں۔ جب میں انہیں مشورہ دیتا ہوں کہ وہ بھی میرے جیسی زندگی اپنائیں تو وہ اپنے کندھوں پر

بوجھ نہیں بلکہ سینوں میں ولولہ محسوس کرتے ہیں۔ مجھے امید ہے کہ انہیں میرے مرنے سے پہلے میرا ماتم نہیں کرنا پڑے گا۔

میں اب اپنی قبر کے دہانے پر بیٹھا ہوں۔ اب جو میں اپنی زندگی پر نظر ڈالتا ہوں تو یاسِ و حسرت سے میرا دل مرجھا نہیں جاتا بلکہ اپنی زندگی کی زندہ دلی پر کھِل اٹھتا ہے۔ زندگی میں حسرت ہے تو بس ایک۔ کاش میں اپنے باپ کو بھی جینا سکھا سکتا۔

□□□

زندہ

میں نے روح وغیرہ کے وجود پر کبھی زیادہ توجہ نہ کی تھی۔

مذہبی میں اتنا ہی ہوا کرتا تھا جتنا ضروری تھا۔ یعنی مذہب پر اِتنا عمل کر لیا کرتا تھا اور اِتنی مذہبی باتیں کر لیا کرتا تھا کہ معاشرے مین اوپرا نہ لگوں۔ کسی کو مذہب کی وجہ سے میری طرف متوجہ ہونے کا موقعہ نہ ملے۔ کسی کو مجھے ہدف بنانے کا بہانہ نہ مل جائے۔

اس طرزِ عمل کا ایک اور فائدہ بھی تھا۔ سب کی ہاں میں ہاں ملاتے ایک جھوٹی سی تسلی ہو جایا کرتی تھی کہ میں بھی خدا کا قریبی بندہ ہوں جس سے وہ بے حد محبت کرتا ہے۔ اِتنی محبت کہ وہ ہر لمحہ میری طرف متوجہ رہتا ہے۔ میری ہر ہر حرکت پر نظر رکھتا ہے۔ ہر ہر بات پر کان دھرتا ہے۔ لٰہذا جب میں اُسے حاضر جان کر کہتا ہوں کہ میں تو صرف اُسّی پر بھروسہ کرتا ہوں تو یہ سُن کر وہ خوشی سے پھولا نہیں سماتا۔ اُسے یکدم مجھ پر بے انتہا پیار آتا ہے اور وہ مجھے جنت میں داخل کرنے کو بے قرار

ہو جاتا ہے۔ اور جب میں اُسے ناظر جان کر کسی فقیر کو چند ٹکے دیتا ہوں، وہ بھی اس سوچ کے ساتھ کہ حاتم طائی کی قبر پر یہ لات میں صرف اور صرف اُس کے احکام کی بجا آوری میں مار رہا ہوں تو وہ یہ بھی دیکھ رہا ہوتا ہے۔ اور میری اِس بے پایاں بندگی پر اُس کا سینہ چوڑا ہو جاتا ہے اور وہ کہتا ہے کہ میرے اس بندے کو سات خون معاف۔

یہ سوچ تھی تو میری نادانی، پر تھی بڑی کارآمد۔ خدا سے قربت کا یہ جھوٹا احساس زندگی بڑی آسان کر دیا کرتا تھا۔ فیصلوں کے نتائج کا ڈر رہتا تھا نہ زندگی ختم ہونے کا غم۔ بس ایسا محسوس ہوتا تھا کہ میں ایک چھوٹا سا معصوم بچہ ہوں جس کی ہر حرکت بس ایک شرارت ہی تو ہے۔ نہ میرا کوئی اختیار، نہ ذمہ داری۔ زندگی آسان۔

اس لئے روح وغیرہ پر میں نے کبھی زیادہ توجہ نہ کی تھی۔ مجھے ایسا ہی لگتا تھا کہ زندگی بس جسم ہی ہے۔ مگر جب سے مجھ پر فالج کا حملہ ہوا ہے مجھے کچھ عجیب سا احساس ہونے لگا ہے۔

اب مجھے احساس ہو رہا ہے کہ جسم تو ایک الگ ہی مخلوق ہے۔ کمر پر خارش ہوا کرتی تھی تو ہاتھ خود بخود پہنچ کر خارش کر دیا کرتا تھا۔ مجھے تو تکلیف فقط اس لئے ہوا کرتی تھی کہ میں اس میں مقیّد تھا۔ جو اب بھی ہوں۔ مگر اب حالات فرق ہیں۔

کبھی کبھار جب انہیں کسی طرح پتہ چل جاتا ہے کہ میں پیاسا ہوں تو ایک ہاتھ میں پانی کا گلاس پکڑ کر اور دوسرا ہاتھ میری کمر میں ڈال کر مجھے نیم دراز حالت میں اُٹھاتے ہیں۔ چونکہ میرا جسم اب بے جان ہے... بلکہ بے جان تو یہ نہیں ہے۔ کھاتا

ہے، پیتا ہے، بیمار ہوتا ہے، اپنے زخم بھی بھرتا ہے۔ زندہ تو ہے۔ بس بے حس ہو گیا ہے۔ اور جب سے بے حس ہوا ہے میرے قابو میں نہیں رہا۔ تو جب یہ مجھے بیک وقت بڑی مشکل اور بڑی احتیاط سے سہارا دے کر پانی پلانے کی خاطر نیم دراز کرنے کی کوشش کرتے ہیں تو اکثر میرا جسم توازن کھو بیٹھتا ہے۔ اُس جاندار اور تابعدار ہاتھ پر جھول جاتا ہے۔ پیٹ سے سر تک جسم ایک خمیدہ پلکی شکل اختیار کر لیتا ہے۔ جسم تو خَم کھاجاتا ہے مگر میں اندر سیدھا ہی رہ جاتا ہوں۔ اچانک جھٹکے سے مجھے ڈر لگتا ہے کہ میں اس بے حس اور لجلجے وجود کہ اندر ٹوٹ ہی نہ جاؤں۔ میں سیدھا ہونے کی کوشش کرتا ہوں مگر بے سود۔ پھر میرے اس جسم کا سر لڑکھتے ہوئے دائیں بائیں جھولتا ہے تو میری نظر پڑتی ہے کہ میرے جسم کو سنبھالنے کی جستجو میں میرا ایک ہاتھ تیمار دار کے اُس گھٹنے تلے کچلا جا رہا ہے جو اس نے میرے پلنگ پر رکھا ہوا ہے۔ ایک عجیب احساس ہوتا ہے۔ مجھے میرے ہاتھ کی چوٹ کی تو کوئی درد محسوس نہیں ہوتی مگر درد بہرحال محسوس ہوتی ہے۔ کہاں محسوس ہوتی ہے میں بتا نہ سکتا ہوں۔ نہ ہی یہ بتا سکتا ہوں کہ محسوس کیسی ہوتی ہے۔ ہاں البتہ دیر تک ہوتی رہتی ہے۔

روشن دِن تھا۔ موسم ایسا جیسا لاہور کی بہار۔ سامنے بے کراں سمندر۔ گہرے نیلے ٹھاٹھیں مارتے سمندر پر آب و تاب سے دمکتے آفتاب کی اُجلی زرد کرنیں۔ ٹھنڈی ہوا کے تھپیڑوں کے ساتھ نیم گرم کرنوں کی گرمی۔ میں نے سمندر میں غوطہ لگایا اور پانی میں نیچے ہی نیچے تیرنا شروع کر دیا۔ ٹھنڈے پانی نے ایک دفعہ تو جسم کو کرنٹ سا مارا، مگر اگلے ہی لمحے چاروں طرف سے لپٹے نرم ملائم پانی کے مسلسل

لمس نے عجیب سی فرحت کا احساس دینا شروع کیا۔ میں نے کسی ماہر جمناسٹ کی طرح ملائم پانی کی فضاء میں قلابازیاں کھانی شروع کر دیں۔ اچانک یہ ہلکا گیلا پانی گاڑھا ہونے لگا۔ میں نے گھبرا کر اوپر کی طرف تیرنا شروع کیا۔ بالکل سطح آب پر پہنچ کر جس لمحے میں نے سر باہر نکال کر ایک لمبا اور فرحت بخش گہرا سانس لینا تھا سارا سمندر جیلی کی طرح گاڑھا ہو گیا اور میرا سر پانی سے اُبھر نہ سکا۔ یکا یک مجھے سینے میں شدید درد اٹھا اور گھبرا کر میں نے بے اختیار لمبا سانس کھینچا جس سے جیلی سمندر میرے پھیپھڑوں میں بھر گیا۔ ہڑبڑاہٹ میں میری آنکھ کھلی اور میں نے ایک ساتھ کئی لمبے لمبے سانس بھرے۔

پہلے جب رات میں کسی بھیانک خواب سے میری آنکھ کھل جایا کرتی تھی تو میں اپنی ٹانگیں سمیٹ کر اپنے دھڑ کو اٹھایا کرتا تھا اور اپنے کولہوں پر گھوم کر ٹانگیں پلنگ سے نیچے لٹکا کر پاوں زمین پر ٹکا لیا کرتا تھا۔ چشم زدن میں۔ بلا کچھ سوچے سمجھے۔ بغیر فاصلوں یا زاویوں کا کوئی حساب کتاب کیے۔ اور اٹھ کر پانی پی لیا کرتا تھا۔

بے خیالی میں میں نے اب کہ بھی جھٹکے سے اٹھنے کی کوشش کی۔ مگر ناکام رہا۔ یہ جسم جو بڑا جانا پہچانا ہے، اب میرے اختیار میں نہیں ہے۔

ایک دفعہ مجھے یاد ہے کہ میں گاڑی چلا رہا تھا۔ گاڑی فراٹے بھرتی جا رہی تھی۔ اچانک انجن بند ہو گیا۔ گاڑی رک گئی۔ میں اپنے گھر اور اپنی منزل دونوں سے دس دس کلو میٹر دور تھا۔ نہ میں گاڑی کو اُٹھا کر لے جا سکتا تھا نہ گاڑی چھوڑ کر جا سکتا تھا۔ اب میری سواری میرا بوجھ بن چکی تھی۔ میں اس میں مقید ہو چکا تھا۔ بالکل ویسے ہی

جیسے اب میں اس جسم میں قید ہو چکا ہوں۔ اب میں اِس جسم کو اچھی طرح پہچانتا تو ہوں مگر یہ میرا نہیں رہا۔

گردن اب پوری نہیں گھومتی۔ جتنی گھومتی ہے اُتنی گھوما کر دیکھا قالین پر ملازم پڑا خراٹے لے رہا ہے۔ آواز بھی تو نہیں نکال سکتا اب۔ اِس بھاری بے حِس جسم میں پھڑ پھڑا کر رہ گیا۔ ایسے لگ رہا ہے کہ جسم و جاں کا رشتہ ٹوٹ گیا ہے۔ میری جان جو میرے جسم کے روئیں روئیں میں پیوست تھی اب سُکڑ کر میرے ذہن میں سمٹ آئی ہے۔ جیسے میری جان کی چھوٹی چھوٹی جڑیں جو میرے جسم کے روم روم میں سورج کی کرنوں کی طرح پیوست تھیں اب واپس میرے ذہن میں سمٹ آئیں ہوں۔ جس طرح مغرب کے وقت سورج کی کرنیں دنیا سے رشتہ توڑ کر واپس اپنے ماخذ سورج میں سمٹ آتی ہیں۔ وہ خواب والی جیلی جیسے اب بھی میرے پھیپھڑوں میں بھری ہوئی تھی۔ میں نے زور زور سے سانس کھینچے اور اُٹھ بیٹھنے کی شدید خواہش میرے اندر جاگی۔ مگر اِس نیم مردہ جسم کے اندر میں کسمسا کر رہ گیا۔ یا میرے خدا، یہ کِس حالتِ برزخ میں ہوں میں۔ نہ جیتوں میں نہ مُردوں میں۔

کافی دیر سے اپنی حالت کو کوسنے کے بعد اب آخرِ کار دِل ہی دِل میں چُپ کر رہا ہوں۔ تھک چکا ہوں۔ جانے کیوں مجھے لگ رہا ہے کہ میرے آنسو بہہ نکلے ہیں۔ یہ حال ہے کہ نہ تو دیکھ کر بتا سکتا۔ ہوں نہ گالوں پر نمی محسوس کر کے، کہ کیا میں رو رہا ہوں؟ یہ لوگ آخر مجھے مار کیوں نہیں دیتے؟ نہیں مار سکتے تو ایسے ہی قبر میں اُتار آئیں۔ میری اس اذیت ناک زندگی سے جان تو چھڑوائیں۔

ہاں، اذیت ناک ہی سہی پر زندگی تو ہے۔ جسم کے بغیر زندگی، یہ کیا ہے؟ یہ میں کون ہوں؟ کیا یہ میری روح ہے؟ عجیب سی روح ہے جو دو جمع دو چار بھی کر سکتی ہے۔ جو اپنے آپ سے باتیں بھی کر رہی ہے۔ جو طلوعِ آفتاب پر کمرے کی سیاہ اندھیری دیواروں میں سے اُجلے اُجلے رنگ بھی پھوٹتے دیکھتی ہے۔ کیا یہی وہ روح ہے جو خدا نے مجھ میں پھونکی تھی؟ کیا یہی ہے اُس کُل کا جُز؟ ہے یا نہیں اب مروں گا تو معلوم ہو ہی جائے گا۔ کیوں نہیں مرتا میں؟ یہ لوگ مجھے مار کیوں نہیں دیتے؟ مار نہیں سکتے تو کم از کم مرنے ہی دیں۔ اِنہیں مجھ پر ترس بھی نہیں آتا؟ یہ میرے بچے، جو مجھ سے اِتنا پیار کیا کرتے تھے، اب اتنے ظالم کیسے ہو گئے ہیں؟ میری اذیت کا بھی فائدہ اُٹھا رہے ہیں؟ میری اِس بے کار اور بے مصرف زندگی کو تول دینے کے بدلے ثواب اکھٹا کر رہے ہیں؟ ظالم، بے حس، سفاک کہیں کے۔ کیسے خشوع و خضوع سے میری خدمتیں کرتے ہیں۔ ثوابوں کے بیوپاری۔

میں تو خود کُشی بھی نہیں کر سکتا۔ لگتا ہے میں امَر ہوں۔ اِس جسم سے نجات پاؤں گا تو شاید اصل اور ابدی زندگی پاؤں۔ کوئی ایسی زندگی جس میں دولت کی دوڑ کے علاوہ بھی کچھ ہو اور اگر امَر نہیں بھی تو بہت ہو چکا۔ تھک چُکا ہوں میں اِس اذیت ناک زندگی سے۔ خالق و مخلوق کچھ تو رحم کرو مجھ پر۔ کوئی تو مار دو مجھے۔ کوئی تو میرے قتل کے گناہ کا مرتکب ہو کر مجھ پر احسان کرے۔

□□□

اہرام مصر اور کوہ طور کے بیچ تھرکتے بدن

سفر نامہ

گو کہ ہم دونوں قاہرہ میں قریب ہوئے مگر نہ تو میں مصری تھا اور نہ یہ گوری خاتون۔ ابھی مجھے اندر داخل ہوئے پانچ ہی منٹ ہوئے تھے کہ میری ہمت جواب دینے لگی۔ دسمبر کی سردی میں بھی ابرو پر پسینے کے قطرے نمودار ہو گئے۔ دل کی دھڑکن اس قدر وحشی ہو گئی کہ گھبرا کر میں نے آنکھیں کھول دیں۔ نیم اندھیرے میں اس کی عریاں ٹانگوں کے بیچ سے اس کے نیم وا ہونٹوں اور دھونکنی کی طرح چلتی سانس نظر آ رہی تھی۔ مگر وہ رکنے کا کوئی اشارہ نہ دے رہی تھی۔ اس طرح رک جانا میری مردانہ انا پر ضرب کاری ہوتی۔ مگر میں بری طرح تھک چکا تھا۔ رک گیا۔ اس تین فٹ کی سرنگ میں رکوع کے انداز میں چلتے چلتے میرا برا حشر ہو چکا تھا۔

اور قاہرہ کے اہرام کے دہانے پر پانچ منٹ پہلے میرے قریب ہوئی وہ گوری خاتون مجھ سے دور ہوتی گئی۔ سکرٹ اور بلاوز زیب تن کرنے کے باوجود وہ بڑی

مہارت سے چڑھتی جا رہی تھی۔ اس کا گوراساتھی اس سے مسلسل باتیں کئے جا رہا تھا اور شاید اس کا حوصلہ بڑھا رہا تھا۔ معلوم نہیں یہ جوڑا جرمن تھا یا فرانسیسی یا کوئی اور یورپی قوم۔ ایک منٹ کے اندر اندر میں اس تین فٹ قطر کی تنگ غار میں اکیلا رہ گیا تھا۔ حد نگاہ نیم اندھیرے کی وجہ سے بہت محدود تھی۔ اور تا حد نگاہ غار کے اوپر والے اندھیرے سرے سے لے کر نیچے والے اندھیرے سرے تک میں تنہا تھا۔

قاہرہ کے بالکل ساتھ واقع تین اہراموں میں سے صرف ایک اہرام سیاحوں کے لیئے کھلا تھا۔ یہ "خوفو" کا عظیم اہرام کہلاتا ہے۔ قد آدم تراشے گئے چٹانی پتھروں سے تعمیر کیا گیا یہ تکونہ پہاڑ دراصل ساڑھے چار ہزار سال پرانا فرعون کا مقبرہ ہے۔ مینار پاکستان سے دگنی اونچائی کے حامل اس اہرام کے بیچوں بیچ ایک پنج ستارہ ہوٹل کے رہائشی کمرے جتنا بڑا کمرہ ہے۔ یہاں فرعون کی حنوط شدہ لاش کے ساتھ اس کا خزانہ اور اس کی خدمت کے لئے زندہ غلام اور کنیزیں بھی بند کر دی جاتیں تھیں۔ اس کمرے تک جانے کا صرف ایک ہی راستہ ہے، یہ تنگ و تاریک سرنگ جس میں رکوع کی حالت میں چلنا پڑتا ہے اور تمام راستہ چڑھائی ہے۔ نہ روشنی کے لئے کوئی کھڑکی ہے نہ ہوا کے لئے کوئی درز۔ مجھے اندر داخل ہوتے ہی اپنا دم گھٹتا محسوس ہوا۔ جی چاہا کہ واپس مڑ جاوں مگر اس یورپی خاتون کی ہمت دیکھ کر شرمسار سا ہو گیا۔ سوچا اگر ایک خاتون جا سکتی ہے تو میں کیوں نہیں؟ مگر اب سانس لینے کی خاطر رکنا پڑا۔

کمرے میں صرف ایک پتھر کا بنا ٹب تھا۔ یہ فرعون کا تابوت رکھنے کے لئے بنایا گیا تھا۔ فرعون کی ممی یعنی حنوط شدہ لاش، اس کا تابوت، خزانہ اور کنیزوں اور

غلاموں کے ڈھانچے میرے پہنچنے سے کئی دہائیاں پہلے ہی دنیا کے مختلف عجائب گھروں میں پہنچائے جا چکے تھے۔

آج سے جتنی صدیاں پہلے حضرت عیسیٰ علیہ السلام مصلوب ہوئے تھے ان سے اتنی ہی صدیاں پہلے فرعون یہ اہرام تعمیر کر رہے تھے۔ جانے بادشاہوں کو عظیم قبروں کا کیا خبط ہوتا ہے؟ نہ تو عظیم قبر میں جانے سے کوئی مرنے والا زندہ ہو سکتا ہے اور نہ ہی عظیم قبر کے صدیوں تک قائم رہنے سے اس میں مدفون مردے کو کوئی فرق پڑتا ہے۔ جانے بادشاہ لوگ مرنے کے بعد بھی عوام کو ہیبت زدہ رکھنے پر کیوں مُصِر رہتے ہیں؟

دریائے نیل پر تیرتی بڑی کشتی میں تقریباً" ایک صد افراد سوار تھے۔ عمارتوں کی روشنیوں سے تحفہ ہائے مصر کا پانی جھلملا رہا تھا۔ کشتی کی اوپری منزل کے ہال میں میز اور کرسیاں اس طرح لگائی گئیں تھیں کہ بیچ میں بارہ کرسیوں والے کھانے کی میز جتنی جگہ خالی تھی۔ جیسے ہی کھانا ختم ہوا ایک نہایت حسین، لامبی، گوری اور متناسب بدن حسینہ نے آکر روائتی عربی "رقص شکم" شروع کر دیا۔ ابھی میں یہ سوچ ہی رہا تھا کہ مصری تہذیب تو ایک افریقی تہذیب ہے یہ کیوں عربی بولتے اور عربی ناچ ناچتے ہیں کہ ناچ اپنے جوبن پر آگیا۔ اور میرے سوچ کے دھارے کا رخ اس بات پر مرتکز ہو گیا کہ مجھے تو یہ نیم عریاں رقص خاصا شہوت انگیز محسوس ہو رہا ہے پھر یہ مصری لوگ یہاں اپنی بیگمات، بچوں اور بچیوں کو ساتھ کیوں لائے ہیں؟

یا تو یہ ساری قوم بے غیرت ہے یا پھر ہم من حیث القوم جنسی درندے بن چکے ہیں جنہیں عصمت دری کی شکار خاتون بھی شکار ہی نظر آتی ہے۔ ایسی فضول باتیں سوچتے سوچتے مجھے خیال آیا کہ کیا اس خاتون کو یوں نیم عریاں ہو کر اپنا بدن انجان لوگوں کے سامنے تھرکاتے شرم یا کم از کم گھبراہٹ محسوس نہ ہوتی ہو گی۔ ساتھ ہی یہ خیال بجلی کی طرح میرے ذہن میں کوندہ کہ اگر مجھے اس طرح ناچنا پڑے تو مجھ پر کیا بیتے گی۔ یہ پراگندہ خیالات اتنے بھیانک تھے کہ میں نے خوف زدہ ہو کر انہیں جھٹک دیا اور دیدم محوِ رقص ہو گیا۔

رقص ختم ہوا تو ایک فوٹو گرافر آگے آیا۔ اب رقاصہ ناظرین میں مختلف لوگوں کے پاس جا کر کھڑی ہو جاتی اور یہ صاحب بڑی سرعت سے ان کی تصویر کھینچ لیتے۔ بعد میں یہ تصاویر ان لوگوں کو برائے فروخت پیش کی جاتیں۔ اگر وہ چاہتے تو خرید کرتے ورنہ منع کر دیتے۔ ایسے تصاویر کھنچتی رہیں، یہاں تک کہ وہ نیم عریاں رقاص حسینہ ہمارے ایک پاکستانی بھائی کے ساتھ آکھڑی ہوئی۔ یہ نیک آدمی جو پیسے خرچ کر کہ یہ کافرانہ رقص دیکھنے آیا تھا اور تمام وقت اس سے بدرجۂ اُتم محظوظ بھی ہوتا رہا تھا اس بدبخت رقاصہ کے اپنے پاک کردار پر اس حملے کو برداشت نہ کر سکا اور اس مردِ آہن نے نہایت کراہت انگیز شکل بنا کر یوں ہاتھ نچا نچا کر اسے دور رہنے کا اندیا دیا گویا کہ وہ ایک صاف ستھری انسان نہیں بلکہ کوئی غلیظ خارش زدہ کتیا ہو۔ یہ تصویر نہ کھنچ سکی۔ اور اس کے بعد بھی کوئی تصویر نہ کھنچ سکی۔ گو کہ ابھی کافی سارے قابلِ تصویر کش ناظرین باقی تھے مگر رقاصہ سیدھی اس دروازے کی طرف بڑھی جہاں سے نمودار

ہوئی تھی، اور چشم زدن میں وہیں غائب ہو گئی۔ باقی سب تو خاموش رہے مگر ایک گورا اٹھ کر فوٹو گرافر سے گٹ مٹ کرنے لگا۔ میں بھی پاس جا کھڑا ہوا۔ گورا فوٹو گرافر سے اس نیکی کی معذرت کر رہا تھا اور اسے قائل کرنے کی کوشش کر رہا تھا کہ وہ رقاصہ کو واپس بلائے تا کہ گورا اس سے بھی معذرت کرے۔ مزید براں وہ رقاصہ کے فن کو خراج تحسین بھی پیش کرنا چاہتا تھا اور اس کے ساتھ تصویر بھی بنوانا چاہتا تھا۔ فوٹو گرافر پہلے تو ٹوٹی پھوٹی انگریزی میں اسے ٹالتا رہا مگر جب اصرار حد سے تجاوز کر گیا تو اس نے آہستہ سے کہا کہ رقاصہ کو ویسے بھی اپنے بچوں کے پاس جانا ہے جو چھوٹے بھی ہیں اور یتیم بھی۔ میں واپس آ کر بیٹھ گیا اور دریائے نیل کے کالے کالے اندھیرے پانی میں ٹمٹماتی چھوٹی چھوٹی روشنیاں دیکھنے لگا۔

دنیا کے نقشے پر دیکھیں تو خال خال ہی کوئی ریاست ایسی نظر آتی ہے جو جیومیٹریکل خطوط کے مطابق ہو۔ مصر بہر حال اسی قسم کی ایک ریاست ہے۔ مصر، جس کی پہچان تکونی شکل کے اہرام ہیں ایک مربع جیسا ہے۔ اس کی شمالی سرحدیں بحر روم سے ملتی ہیں جبکہ مشرقی سرحدیں بحر احمر سے دھلتی ہیں۔ اس کی ایک اور دلچسپ بات یہ ہے کہ یہ دنیا کی وہ واحد ریاست ہے جو برِاعظم افریقہ کو برِاعظم ایشیا سے ملاتی ہے۔ دو عظیم برِاعظموں کا یہ سنگم جو خطہ کرواتا ہے اسے کہتے ہیں سینا۔۔۔ صحرائے سینا۔ حضرت موسیٰ علیہ السلام کا سینا۔ کوہِ طور کا سینا۔ مصر اسرائیل کی چھ روزہ جنگ کا سینا۔ مصر اسرائیل کی یوم کپور کی جنگ کا سینا۔ اور تیسری مزیدار بات یہ ہے کہ

حضرتِ انسان نے نہر سوئز کھود کر یہی قدرتی زمینی رابطہ منقطع کر دیا ہے۔ بہر حال ہماری بس نہر سوئز کے نیچے بنی سرنگ سے گزر کر صحرائے سینا میں داخل ہو گئی۔

چاروں طرف بھورا بھورا لق و دق صحرا حد نگاہ تک پھیلا ہوا تھا۔ یہی وہ صحرا تھا جس میں حضرت موسیٰ علیہ السلام کی رہنمائی میں فرعون کو بحر احمر میں غرق کر کے یہودیوں نے واپس اسرائیل کی جانب سفر شروع کیا تھا۔ مشیئتِ ایزدی سے قومِ یہود اس صحرا میں چالیس سال تک بھٹکتی رہی تھی۔ اور جب آسمانی دعوت کے ایک جیسے مینو سے تنگ آ گئے تو من و سلویٰ رد کر کے دال اور پیاز کی فرمائش کر دی تھی۔ اتنی گرمی تو نہ تھی مگر مجھے صحرا دیکھ کر ہی پیاس لگ گئی تھی۔ بس میں پانی نہ تھا۔ ابھی میں یہ سوچ ہی رہا تھا کہ کیسا ظالم ریگستان ہے، تین ہزار سال بعد بھی وہی تیور دکھا رہا ہے، کہ بس رک گئی۔ عیونِ موسیٰ یعنی موسیٰ کے کنویں آ چکے تھے۔ یہ وہ بارہ کنویں تھے جو حضرت موسیٰ علیہ السلام نے یہودیوں کے بارہ قبائل کی باہمی لڑائیوں کے پیش نظر عصاء زمین پر مار کر جاری کیئے تھے۔ اب کنوؤں کے کنارے کھڑے ہو کر نہر سوئز دیکھائی دیتی تھی۔ ہماری منزل ابھی دور تھی۔ شہر شرم الشیخ۔

شرم الشیخ کا شہر قاہرہ اور اسکندریہ کے مقابلے میں ایسا ہی تھا جیسے قصہ خوانی بازار کے مقابلے میں باڑا مارکیٹ۔ بزرگ شہروں کے مقابل ایک نیا شہر۔ الہڑ جوان۔ نئی نویلی دلہن کی طرح سجا ہوا۔ یہ ایک بین الاقوامی معیار کا سیاحتی مقام تھا۔ بحر احمر کا لامتناہی ساحل، بے شمار ہوٹل، بازار، شراب خانے، سیاحوں کے ناچنے کے لئے

ناچ گھر، عظیم الشان جوا خانے، رقصِ شکم کے مختلف پروگرام، ڈولفن مچھلی کے تماشے، سمندر کی سیر، وغیرہ وغیرہ۔ یہاں سے کوہِ طور قدرے نزدیک تھا۔

ہمارے گروپ کے کافی لوگ شرم الشیخ کی رونقیں تیاگ کر کوہ طور روانہ ہوئے۔ یہ بتانا میں بھول گیا کہ جو تیا گئیں وہ دوسرے دن کی رونقیں تھیں۔ کجا آپ سمجھیں کے پہلے دن اور پہلی رات کی رونقیں بھی تیاگ دی گئیں تھیں۔ پہلے بس کا تین گھنٹے کا سفر دامنِ کوہِ طور تک لے کر آتا ہے پھر تین گھنٹے کی پہاڑ پر پیدل چڑھائی تھی۔ شرم الشیخ میں تو ماہِ دسمبر ایسا تھا گویا لاہور کا بہار کا موسم۔ مگر کوہِ طور پر ٹھنڈ نقطۂ انجماد کو چھو رہی تھی۔ میں کوہِ طور نہ گیا۔ ڈرتا تھا اگر برقِ تجلی پھر سے آگری تو کیا کروں گا؟

یہ چراغِ تہہِ داماں ہی بہت ہے ہم کو
طاقتِ جلوۂ سینا نہ تجھے ہے نہ مجھے

میں تو ہمیشہ یہ شعر فیض صاحب کا ہی جان کر محظوظ ہوتا رہا مگر ہمارے بلال حسن منٹو صاحب فرماتے ہیں یہ فیض صاحب نے اقبال کی فارسی غزل کا ترجمہ کیا ہے۔

اسکندریہ میں صرف وہ قابلِ دید مقامات شمار کئے جو دیکھے تھے، کیونکہ جو نہ دیکھے وہ بے شمار تھے۔ جو دیکھے یہ دو تھے، اوّل بحرِ روم جو کنارے سے دیکھا اور دوئم اسکندریہ کا عظیم کتب خانہ، جو باہر سے دیکھا۔ کہتے ہیں یہ اس وقت دنیا کا تیسرا بڑا کتب خانہ ہے جو اسکندریہ کے اس عظیم کتب خانے کی یاد میں بنایا گیا ہے جو زمانۂ قدیم کا دنیا کا سب سے بڑا کتب خانہ تھا، جس سے "ہائے پیشی آ" جیسی مایۂ ناز فلسفی منسلک تھی اور

جسے ظہورِ اسلام سے چند صدیاں پہلے سلطنتِ روما کے عیسائی مذہبی شدت پسندوں نے کفر کا اڈا قرار دے کر جلا ڈالا تھا۔

اور کچھ کیوں نہ دیکھا؟ کیا بتاؤں۔ بقول شاعر

محفل اُن کی، ساقی اُن کا

آنکھیں میری، باقی اُن کا

ہاں البتہ واپس آنے سے پہلے قاہرہ میں جامع الاظہر کے پہلو میں بہتا خان خلیلی بازار ضرور دیکھ ڈالا۔ کہتے ہیں یہ وہ بازار ہے جہاں حضرت یوسف علیہ السلام کو غلام کے طور پر فروخت کیا گیا تھا۔ وہاں سے تین اشیاء ایسی ملیں جن سے یقین آیا کہ یہ قاہرہ کا بازار ہے ہمارا انار کلی بازار نہیں۔ اوّل مصری طرز کے خواتین کے سکارف، دوئم مصری عطر اور سوئم علی بابا چالیس چور کی مرجینا طرز کی جوتیاں۔

تاریخ سے اپنا رشتہ بھی استوار کر لیا تھا، سیاحت بھی ہو چکی تھی اور خریداری بھی۔ اب دیارِ غیر میں رکے رہنے کا کچھ سبب باقی نہ بچا تھا۔ واپسی کے سفر کے لئے بس میں بیٹھا تو غالب یاد آیا

دم لیا تھا نہ قیامت نے ہنوز

پھر تیرا وقتِ سفر یاد آیا

□□□

تھائی ہیجڑا

وہ ایک تھائی ہیجڑا تھا۔ مجھے اس کی جو چیز سب سے واضع طور پر یاد ہے وہ اس کی ٹک ٹک پر مجھ سے بچھڑتے ہوئے کی مسکراہٹ ہے۔ اس وقت ہم دونوں روئے تھے۔ وہ اب بھی یہی سمجھتا ہوگا کہ صرف وہ رویا تھا، مگر حقیقت میں میں بھی رو پڑا تھا۔

میں کوسوموئی کے ایک بازار میں پھر رہا تھا۔ رات کا کھانا بھی کھا چکا تھا اور شراب بھی پی چکا تھا۔ ایک تو نشہ ہو رہا تھا دوسرے کرنے کو کچھ بھی نہ تھا، میں بلاوجہ دکانوں اور ٹھیلوں کے سامنے گھوم رہا تھا۔ اچانک اس پر نظر پڑی تو میں ٹھٹک گیا۔ وہ ایک نہایت حسین لڑکی لگ رہا تھا۔ ایک بند دکان کے سامنے بڑی ادا سے کسی حسین طوائف کی طرح کھڑا کھلے عام دعوت گناہ دے رہا تھا۔ کئی سیکنڈ تک میں مبہوت اسے دیکھتا رہا۔ یہ نہ سمجھئے گا کہ میں نشے کی وجہ سے اسے لڑکی سمجھ بیٹھا تھا۔ پہلی نظر میں تھائی ہیجڑے کو پہچاننے کا فن کافی تجربے کے بعد ہی آتا ہے۔ مجھے اپنی طرف متوجہ پا

کر وہ مسکرایا اور سر کے اشارے سے مجھے اپنے پاس بلایا۔ میں بلا ارادہ اس کے پاس جا کھڑا ہوا۔ گوری گوری سڈول آدھی ننگی ٹانگیں، برہنہ بازو، ابھری ہوئی چھاتیاں، پتلی لچکیلی کمر، صراحی دار گردن، موٹے رسیلے لال سرخ ہونٹ، چینیوں جیسی چھپنی مگر چھوٹی سی پیاری سی ناک اور بڑی بڑی ہلکی نیلی آنکھیں جو میرے خیال میں رنگین بصارتی شیشے یعنی کونٹیکٹ لینز کا کمال تھیں۔ میرے پاس پہنچنے پر اس نے میرا ہاتھ پکڑ لیا۔ اس کا ہاتھ بھی بڑا نازک اور خوبصورت تھا۔ جب ٹوٹی پھوٹی انگریزی میں اس نے میرا حال پوچھا تو پہلی دفعہ مجھے شک پڑا کہ وہ لڑکی نہیں ہیجڑا ہے۔ اس کی آواز تھی تو زنانہ مگر شاید اس نے مصنوعی طور پر ایسی بنا رکھی تھی۔ میں جب ٹھٹک کر اسے غور سے دیکھنے لگا تو اس نے اس طرح آگے بڑھ کر، کہ اس کے پستان میرے سینے سے مس ہونے لگے اور اس کے ہونٹ میرے کان کی لو سے، میرے کان میں کہا کہ وہ کیتھوئے ہے۔ کیتھوئے تھائی زبان میں ہیجڑے کو کہتے ہیں اور مجھے اس بات کا علم تھا۔ اگر کوئی اور وقت ہوتا تو میں کراہت سے اسے جھٹک دیتا، مگر وہ وقت کچھ اور تھا۔ کچھ نشے کا اثر، کچھ اس کی خوبصورتی کا، اور کچھ اس کے ملائم لمس کا۔ گویا کہ شراب اور شباب نے صحیح معنوں میں مجھے مدہوش کر دیا تھا۔ میں اس کے ہیجڑہ ہونے کی تلخ حقیقت فوری طور پر ہضم نہ کر سکا۔

جب میں نے اس کے کیتھوئے ہونے پر کسی رد عمل کا اظہار نہ کیا تو اس نے جانا کہ میں نے اس کی گاہکی قبول کر لی ہے۔ خوشی سے اس نے میری بغلوں میں بانہیں ڈالیں اور میرے ساتھ چپک کر ہولے ہولے میری کمر سہلانی شروع کر دی۔ کوئی پانچ

سات سیکنڈ اس میں بھی گزر گئے لیکن میں مسحور ہی رہا۔ وہ سمجھا کہ میں نشے میں دھت ہوں۔ اس نے میرا ہاتھ پکڑ کر مجھے اس بند دکان کے تھڑے پر بیٹھا کر میرا سر اپنے سینے سے لگالیا اور ہولے ہولے میرا سر اور کمر سہلانے لگا۔ اس کے سینے کی وادیوں سے بھینی بھینی مست کر دینے والی خوشبو نے میری مدہوشی کو مزید تقویت دی۔ اسی اثناء میں بے دھیانی میں میرا ہاتھ اس کی ران پر چلا گیا۔ اس کی گوری اور ملائم ران کو چھوتے ہی گویا میرا نشہ ہرن ہو گیا۔ لمحہ کے ہزارویں حصہ میں یہ حقیقت مجھ پر آشکار ہو گئی کہ جس کی بانہوں میں اس وقت میں سمایا ہوا ہوں وہ کوئی لڑکی نہیں، ہیجڑہ ہے۔ یکدم میں برف کی سل کی طرح منجمد ہو گیا۔

ادھر وہ ہیجڑہ مجھ پر صدقے واری ہوا جا رہا تھا۔ کبھی میرا سر چومتا، کبھی میری ران پر ہاتھ پھیرتا۔ ایک دفعہ تو میرا دل کیا کہ اٹھ کر بھاگ جاوں، مگر پھر اس کا معصوم چہرہ نظروں میں گھوم گیا۔ اس بیچارے کا تو کوئی قصور نہ تھا۔ میں ہی پکے ہوئے پھل کی طرح اس کی گود میں آ گرا تھا۔ میں نے یہی سوچا کہ یہ جتنے بھی پیسے مانگے گا، بہت زیادہ کہہ کر چلتا بنوں گا۔ میری بھی جان چھوٹے گی اور اس کا بھرم بھی رہ جائے گا۔ یہ فیصلہ کر کہ میں نے زرا درشتی سے اپنے آپ کو اس سے الگ کیا۔ مگر اس سے پہلے کہ میں کچھ کہہ پاتا، شاید نشے کی وجہ سے چکر سا آ گیا۔ میری بگڑی طبیعت دیکھ کر وہ مجھ پر مزید صدقے واری ہونے لگا۔ اپنی چولی میں سے رومال نکال کر میرا ماتھا پونچھنے لگا۔ پھر جلدی سے اپنے پرس سے پانی کی بوتل نکال لی اور میری ٹھوڑی پکڑ کی ماں کی طرح مجھے پانی پلانے لگا۔ سچ کہتا ہوں اس دن میری سمجھ میں آیا کہ اوسان خطا ہونا کس

چڑیا کا نام ہے۔ اب حالت یہ تھی کہ ایک طرف تو یہ جان کر کہ وہ ایک ہیجڑہ ہے میرے اندر کراہت جاگتی جارہی تھی اور دوسری طرف اس کا پیار دیکھ کر میری اس کو دھتکارنے کی ہمت بھی نہ ہو رہی تھی۔ اس کے ہاتھ سے وہ دو گھونٹ پانی زہر مار کرتے میری وہ حالت تھی جو ماں کے ہاتھ سے کڑوی دوائی پیتے ہوئے چھوٹے بچوں کی ہوتی ہے۔ اُگلی جائے نہ نگلی جائے۔

ذرا حوصلہ کر کے میں نے پوچھا کہ وہ کتنے پیسے لے گا۔ اس نے ہنس کر کہا کہ وہ بڑا خوش قسمت ہے کہ میں نے اسے پسند کیا ورنہ شام سے تین آدمی اسے دھتکار چکے تھے۔ یہ کہتے کہتے اس کی بڑی بڑی آنکھوں میں موٹے موٹے آنسو آگئے۔ جلدی سے آنسو پونچھ کر اس نے میرے گلے میں بانہیں ڈال دیں اور بڑی ادا سے بولا کہ اب وہ بہت خوش ہے اور یہ کہ میں بہت پیارا ہوں اس لئے وہ ساری رات میرے ساتھ صرف ایک ہزار باتھ میں گزارے گا، اور وہ بھی صرف اس لئے کہ اسنے اپنے دو سالہ بیٹے سے آج تحفہ لانے کا وعدہ کیا ہے۔ پھر اس نے مجھے شرارت سے آنکھ ماری اور میرا گال چوم کر میرے گلے لگ کر بولا کہ مجھے کھلی اجازت ہو گی میں جو چاہوں کروں۔ مجھ سے کچھ بولا نہ گیا۔ خود بخود میرے ہاتھ اس کی پتلی کمر کے گرد حمائل ہو گئے۔ اس کی خوبصورتی، نزاکت، پیار اور شراب کا نشہ مل کر بار بار میرے ذہن سے یہ بھیانک حقیقت محو کر رہے تھے کہ وہ لڑکی نہیں بلکہ ایک ہیجڑہ ہے۔

اس نے خوشی خوشی میرا ہاتھ پکڑا اور ایک ٹک ٹک، یعنی تھائی چنگ چی رکشہ روکا۔ میں نہ چاہتے ہوئے بھی چپ چاپ اس کے ساتھ رکشہ میں سوار ہو گیا۔

ڈرائیور کے استفسار پر میں نے مری ہوئی آواز میں ہوٹل کا نام بتایا۔ کیتھوئے نے اس کے ساتھ بھاؤ تاؤ کیا اور رکشہ چل پڑا۔ میں عجیب کشمکش میں گرفتار تھا۔ جتنا وقت گزرتا جا رہا تھا مجھے اس سے پیچھا چھڑانا مشکل ہوتا نظر آ رہا تھا۔ میرے بھونڈے پن سے ذرا سمٹ کر بیٹھنے کو اس نے پھر میری خراب طبیعت پر مامور کیا اور میرے ساتھ جڑ کر بیٹھ گیا۔ میری ران کے اندر والے حصے اور پیٹ پر ہاتھ پھیرنے لگا۔ رکشہ چلنے سے ٹھنڈی ہوا لگی تو پھر سے سرور آنے لگا۔ اوپر سے اس کے ہاتھ کا ملائم لمس میرے جسم کے حساس حصوں پر۔ پیٹ کی تکون میں سختی آنے لگی۔ جب اس نے دیکھا کہ ایک ۔کے علاوہ میرے تمام پٹھے ڈھیلے پڑتے جا رہے تھے تو میرا ایک ہاتھ پکڑ کر اپنی چولی میں ڈال لیا۔ ایک لمحے کے لئے میرے ذہن میں ایک بالوں بھرے سپاٹ سینے کا تصور ابھرا اور کراہت کا ایک زوردار احساس میرے پیٹ میں ابلا، مگر دوسرے ہی لمحے، کچھ نشے کے سرور اور کچھ تجسس کے مارے، میں نے اپنا ہاتھ اس کی چولی میں جانے دیا۔

توقع کے برعکس میرے ہاتھ نے ایک ملائم زنانہ سینے کو محسوس کیا۔ پستان پر میں نے تجسس کے مارے ہاتھ پھیرا اور پھر اسے بھینچ کر بھی دیکھا، بالکل زنانہ اور جسم کا قدرتی حصہ تھا۔ مجھے ایک بار پھر مزہ آنے لگا تھا کہ اس نے میرا دوسرا ہاتھ پکڑ کر اپنی سکرٹ کے اندر، ران کے اندرونی حصہ پر رکھ لیا۔ مجھے اور مزہ آنے لگا۔ اور پھر اس نے میرا ہاتھ پکڑ کر ران کے سرے تک لیجانا چاہا۔ اچانک میرے ذہن میں ایک نیم مردہ اور کالے عضو تناسل کی تصویر ابھری جو بالوں سے بھرا ہوا تھا۔ غلاظت کا ایک

طوفان سا میرے حلق میں اٹھا اور میں نے جھٹکے سے اپنے دونوں ہاتھ کھینچ لئے۔ اتفاق سے عین اسی وقت رکشہ ایک جھٹکے سے رک گیا۔ رکشہ کے جھٹکے کی وجہ سے اسے شک پڑا کہ میرے ہاتھ رکشے کے جھٹکے سے کھنچے ہیں۔ اس نے شک بھری نظروں سے میری طرف دیکھا۔ عجیب سا خوف تھا اس کی آنکھوں میں۔ ایک بار پھر دھتکارے جانے کا۔ اس کا اترا ہوا چہرہ دیکھ کر میرا دل پسیج گیا۔ میں نے سوچا رکشہ والے کے سامنے اسے ذلیل نہ کروں، ذرا آگے جا کر کچھ پیسے دے کر واپس بھیج دوں گا۔ رکشہ چلا گیا تو ہم ہوٹل کی جانب چل پڑے۔ میں تذبذب کے عالم میں تھا کہ کیسے اسے کہوں میں نے اسے ہوٹل نہیں لے کر جانا، وہ واپس چلا جائے، لہٰذا میں آہستہ آہستہ چل رہا تھا۔ اسے بھی شک پڑ چکا تھا، وہ بھی آہستہ آہستہ ہی چل رہا تھا۔ اچانک ایک گزرتے رکشے کو اس نے ہاتھ دے کر روک لیا۔ پھر ڈرائیور کے ساتھ کچھ گٹ مٹ کی اور رکشہ چند قدم آگے جا کر رک گیا۔ وہ مڑ کر میرے پاس آیا، ہونٹوں پر مسکراہٹ اور آنکھوں میں آنسو تھے۔

رکشے میں جھٹکے سے میں نے ہاتھ کھینچ لئے تھے، رکشہ سے اترنے پر میں اسے ہوٹل لے جانے میں پرجوش نہ تھا، نہ ہی میں اس سے شرارتیں کر رہا تھا، اس کے رکشہ روکنے اور ڈرائیور سے بات کرنے کے دوران بھی میں نہ کچھ بولا تھا نہ ہی اسے روکا تھا۔ وہ جان چکا تھا کہ وہ ایک بار پھر دھتکارا جا چکا تھا۔ اس کی اتری ہوئی شکل دیکھ کر میری نظروں میں کچھ ہی دیر پہلے والا اس کا ہنستہ مسکراتا چہرہ گھوم گیا۔ میرا دل کٹ سا گیا۔ اس نے میرے گلے میں بازو ڈال کر میرے کان میں آہستہ سے "پیارے

لڑکے" کہا اور میرا گال چوم کر مڑا اور رکشے کی طرف چل پڑا۔ چنگ چی پر بیٹھ کر اس نے میری طرف دیکھا اور مسکرا دیا۔ عجیب دلکش مسکراہٹ تھی اس کی۔ جانے کیوں میری آنکھ سے آنسو ٹپک پڑا۔ رکشہ چل پڑا اور اچانک اس نے اپنا حسین چہرہ اپنے ہاتھوں میں چھپا لیا۔ آخر کار وہ رو پڑا تھا۔

□□□

ترکی مٹھائی

گھر کے اندر داخل ہوتے ہی اس کی نظر پورچ کے کونے میں پڑے پندرہ سو روپے والے چینی بیگ پر پڑی جو وہ ترکی سے پچاس لیرے کا لایا تھا۔ گاڑی سے اترتے ہی وہ مچل کر بیگ کی طرف بڑھا اور یہ دیکھ کر تڑپ کر رہ گیا کہ بیگ میں بہت سے کاڈے مٹر گشت کر رہے تھے۔ اس نے غصے سے گیٹ کھولنے والے ملازم سے پوچھا کہ بیگ میں کیڑے کیوں پھر رہے ہیں؟ جواب سے پہلے اندر سے بیگم نکل آئی۔

یہ جو آپ بڑی مٹھائیاں لائے تھے نا ترکی سے، یہ اس کے نتیجے ہیں۔ بیگم نے ملازم کی جگہ تنک کر جواب دیا۔

اسے دھچکا لگا۔ استنبول کی استقلال سٹریٹ اس کی نظروں کے سامنے گھوم گئی۔

ہوٹل سے نکل کر وہ استقلال سٹریٹ کی رونقیں دیکھ رہا تھا۔ بھانت بھانت کے لوگ۔ کچھ لمبے تڑنگے اور کچھ مریل مرد۔ کچھ بڑی چادروں اور کچھ چھوٹی نکروں

میں ملبوس خواتین۔ دونوں طرف دکانیں۔ برقی قمقموں کی بہار۔ رات کے کھانے کے بعد کی چہل پہل۔ حافظ مصطفیٰ کی مٹھائی کی دوکان پر مکھیوں کی طرح لوگوں کا رش۔ وہ دکان کے بورڈ پر پڑھ رہا تھا کہ یہ دکان ۱۸۶۴ء سے قائم ہے کہ اسے ایک دھکا لگا۔ ہلکا سا، بادِ نسیم جیسا۔ اس نے مڑ کر دیکھا تو ایک نہایت حسین لڑکی چست جینز اور تنگ تنگ ٹی شرٹ میں کھڑی مسکرا رہی تھی۔ یہی حسینہ اس سے ٹکرائی تھی۔

وہ گڑبڑا گیا۔

اگر پاکستان میں اس طرح نوجوان حسینہ اس سے ٹکرائی ہوتی تو وہ فوراً ایک قدم پیچھے ہٹ کر معاف کیجیے گا بہن جی، یا سوری باجی دو تین دفعہ زور زور سے کہتا تا کہ راہگیر اس کی پٹائی نہ شروع کر دیں۔ مگر یہ تو ترکی تھا۔ یورپ کی شروعات۔ مشرق کا اختتام۔ مشرق اور مغرب کا حسین امتزاج۔ مسجد کے بغل میں سگریٹ کے کھوکھے پر کوکا کولا کے ساتھ شراب کی بوتلیں بیچنے والا مسلم ملک، جہاں چست کپڑوں یا آدھی ننگی ٹانگوں والی جوان عورتوں کو کوئی گھور گھور کر نا دیکھتا تھا۔

وہ گڑبڑا گیا کہ کیا کرے۔

لیکن وہ حسینہ بالکل نہ گڑبڑائی۔ جب اس نے دیکھا کہ دو سیکنڈ کا طویل وقفہ گزرنے کے باوجود وہ بت ہی بنا کھڑا ہے تو وہ مسکرائی اور ایک قدم بڑھا کر اس کے اتنے قریب آگئی کہ ہلکی ہوا سے لہرانے والے حسینہ کے سنہری بال اس کے چہرے پر بکھرنے لگے۔ حسینہ نے اس کے بازو پر اپنا ملائم ہاتھ رکھا اور ٹوٹی پھوٹی انگریزی میں

معذرت کی۔ وہ ابھی تک کنگ تھا۔ حسینہ نے دوبارہ معذرت کی اور پھر کرنی شروع کر دی۔ کچھ اس بات سے کہ حسینہ کا ہاتھ مسلسل اس کے بازو پر تھا۔ کچھ اس بات سے کہ حسینہ مسکرا مسکرا کر اس سے معذرت کرتی جا رہی تھی۔ کچھ اس بات سے کہ حسینہ کی انگریزی بھی ٹوٹی پھوٹی تھی۔ اور بہت کچھ اس بات سے کہ اتنا کچھ ہونے کہ باوجود بازار میں کوئی بھی ان کی طرف متوجہ نہ ہوا تھا؛ اسے حوصلہ ہوا۔

وہ زور لگا کر مسکرایا اور جوابی معذرت کی۔ حسینہ کے ملائم ہاتھ نے اس کا بازو اپنی نرم گرفت میں کر لیا اور پوچھا کہ وہ کس ملک سے ہے۔ اس سے پہلے کہ وہ جواب دیتا کسی انجانی زبان میں ایک کرخت جملہ اس کے کانوں سے ٹکرایا۔ اس کے ذہن میں بجلی کی طرح یہ خیال کوندا کہ حسینہ کا بھائی آ ٹپکا ہے۔ اس کا دل زور سے دھڑکا۔ مگر حسینہ نے اسے کھینچ کر حافظ مصطفیٰ کی دکان کے دروازے سے ہٹا دیا۔ کرخت آواز والا پردیسی مٹھائی لینے دکان کے اندر چلا گیا۔ حسینہ نے اپنی جینز کی جیب سے سگریٹ کی ڈبی نکالی، ایک سگریٹ سلگایا اور ڈبی اس کی طرف بڑھائی۔ تذبذب کے عالم میں اس نے سگریٹ لے کر سلگا لیا۔ حسینہ دکان کی قد آدم کھڑکی کی دہلیز پر بیٹھ گئی اور اسے بھی اشارہ کیا۔ وہ بھی بیٹھ گیا۔ اور لوگ بھی ایسے ادھر ادھر بیٹھے تھے۔ اس نے بتایا کہ وہ پاکستان سے ہے۔ حسینہ نے زور زور سے سر ہلا کر دوسری طرف دیکھنا شروع کر دیا۔ بے دھیانی میں اس کی نظر حسینہ کے سینے پر پڑی اور عین اسی وقت حسینہ نے مڑ کر اس کی طرف دیکھا۔ چوری پکڑی گئی تھی۔

وہ ایک بار پھر گڑبڑا گیا۔

مگر حسینہ نے برا نہ مانا۔ اپنا ملائم ہاتھ اس کی ران پر رکھ کر وہ مسکرائی اور کہنے لگی کہ وہ آج رات فارغ ہے۔ اس کی ران میں سنسناہٹ ہوئی۔ اس نے سگریٹ کا ایک لمبا کش کھینچا۔ وہ حسینہ کے ہاتھ کا ناخدا بننا چاہتا تھا۔ مگر کوشش کے باوجود وہ نہ کوئی حرکت کر سکا اور نہ کچھ بول سکا۔ حسینہ نے اس کی ران کو تھپ تھپایا اور پھر سیدھی ہو کر سگریٹ پینے لگی۔ سگریٹ ختم کر کہ وہ اٹھ کھڑی ہوئی اور دوسری جیب سے ایک پرچی نکال کر اسے تھما دی۔ مجھے فون کرنا کہہ کر مسکراتی ہوئی چل دی۔ وہ دس منٹ ہونقوں کی طرح کھڑکی میں بیٹھا رہا پھر اٹھ کر پرچی پھینکی اور حافظ مصطفیٰ کی دکان میں اپنے بیوی بچوں کے لئے مٹھائی خریدنے گھس گیا۔

بدحواسی میں وہ دکان والوں کو یہ نہ بتا سکا کہ اس نے یہ مٹھائی ہوائی جہاز میں لے کر جانی ہے۔ لہٰذا حافظ مصطفیٰ کی ترکی مٹھائی کا شیرا استنبول سے لاہور تک پچاس لیرے کے سرخ بیگ میں ٹپکتا رہا۔

بیگم کے سامنے وہ جھینپ گیا۔

چھوڑو اس بیگ کو۔ یہ ترکی کے لوگ ہی عجیب ہیں۔ میں نے بہت کہا کہ اچھی طرح پیک کرو مگر وہ سنتے ہی نا تھے۔

بیگم نے مسکرا کر اس کا بازو پکڑ کر کھینچا تو وہ ایک بار پھر گڑبڑا گیا۔ اس کا دل زور سے دھڑکا، مگر بیگم اسے آلو گوشت کے جلتے جلتے بچ جانے کی کہانی سناتی ہوئی اندر لے گئی۔

□□□

سندھوستان

دبئی کے ایئرپورٹ پر تلاشیاں وغیرہ دے کر فارغ ہوا تو بوریت سے ادھر ادھر دیکھنے لگا۔ کنکٹنگ فلائٹ چار گھنٹے بعد تھی۔ دن کے دو بج رہے تھے، ہر طرف ہڑبونگ اور شور شرابا مچا ہوا تھا۔ اچانک میری نظر اس پرکشش عورت پر پڑی جسے میں جہاز میں بھی دیکھ چکا تھا۔ وہ اکیلی بیٹھی تھی۔ اچھا تو وہ جو گنجا موٹا اس کے ساتھ بیٹھا تھا وہ اس کے ساتھ نہیں تھا۔ تیس سال کی متناسب بدن کی یہ سانولی عورت جینز پہنے اور بندی لگائے بیٹھی کتاب پڑھ رہی تھی۔ آس پاس کی کرسیاں خالی دیکھ کر میں نے ہمت کی اور ایک کرسی چھوڑ کر ساتھ بیٹھ گیا۔

میری تو بات کرنے کی ہمت نہ پڑی مگر تھوڑی دیر بعد اسی نے کتاب سے نظر اٹھا کر میری طرف دیکھا اور ہائے کہا۔ میری ہمت بڑھی اور میں نے بات چیت شروع کر دی۔ پتا چلا کہ وہ امریکہ میں تقابلی مذاہب پر پی۔ ایچ۔ ڈی کر رہی تھی۔ ایک

تو ہندو اوپر سے تقابلی مذاہب پڑھ رہی اور سونے پہ سہاگا یہ کہ پُر کشش عورت؛ میری دلچسپی یکدم بڑھ گئی۔

میں نے کہا: آپ کے ماتھے کی بندی بتا رہی ہے کہ آپ ہندو ہیں۔

وہ ذرا مسکرائی: آپ کہہ سکتے ہیں۔

میں نے ذرا حیرانی سے پوچھا: مطلب؟

وہ بولی: میں روایتی ہندو ہوں، مگر مذہبی نہیں۔

میں اس کی طرف گھوم کر بیٹھ گیا: اس کا کیا مطلب ہوا؟

وہ کتاب چھوڑ کر میری طرف گھوم گئی: آپ پاکستانی مسلمان ہیں نا؟

میں نے فوراً سیدھا ہو کر اپنا سینہ پُھلا لیا: شکر ہے اللہ کا۔

اب وہ بھی مجھ میں دلچسپی لینے لگی: آپ کا تو ایمان ہے اپنے مذہب کی دیو مالائی داستانوں پر مگر میں انہیں تاریخی سائنس کے طور پر دیکھتی ہوں۔ اب چوں کہ میں ہندو گھرانے کی پیدائش ہوں لہٰذا سمجھ لیں کے میں روائتی طور پر اپنے آپ کو ہندو کہتی ہوں۔

میں نے ذرا تذبذب سے کہا: میں سب مذاہب کی بڑی عزت کرتا ہوں مگر دیو مالائی داستانیں آپ کے مذہب میں ہیں، ہمارے مذہب میں ہر بات حق پر مبنی ہے۔

وہ بغیر کسی جذبات کا اظہار کئے بولی: آپ تو خاصے مہذب انسان لگتے ہیں، آپ سے بات چیت میں تو اچھی طرح وقت کٹ سکتا ہے۔

میرا حوصلہ اور بڑھا: تو آپ مانتی ہیں کہ ہندو مذہب میں دیومالائی داستانیں شامل ہیں۔

وہ بولی: ہاں۔

کچھ دیر خاموشی چھا گئی پھر اچانک مجھے اس کی تاریخی سائنس والی بات یاد آئی۔

میں نے پوچھا: وہ آپ نے کیا بات کی تھی کہ مذہب تاریخی سائنس ہوتا ہے۔

وہ ٹیک لگا کر آرام سے بیٹھ گئی: انسان ہمیشہ کھوجنا چاہتا ہے کہ وہ کہاں سے آیا ہے اور اس کے ارد گرد کی دنیا کا نظام کیسے چلتا ہے۔ اب تو یہ باتیں انسان سائنس کے ذریعے کھوجتا ہے مگر پرانے زمانوں میں وہ کہانیاں گھڑ لیا کرتا تھا کہ بارش کا دیوتا بارش برساتا ہے اور موت کی دیوی موت دیتی ہے، وغیرہ۔

بات مجھے لگی تو عجیب، مگر ساتھ ہی ساتھ دلچسپ بھی لگی: تو پھر ہر مذہب میں ایک جیسے دیوی دیوتا کیوں نہیں ہوتے تھے؟

وہ بولی: دیومالائی کہانیاں انسانی سوچ سے ہی جنم لیتی ہیں۔ جس طرح سے کوئی لوگ اپنے آپ کو اور اپنی دنیا کو دیکھتے ہیں ویسی ہی وہ داستانیں گھڑ لیتے ہیں۔

بے اختیار میرے منہ سے نکلا: پھر تو آپ ہندو لوگ بڑے جنسی ہوتے ہیں۔

فوراً ہی مجھے احساس ہوا کہ میں نے بڑی نازیبا بات کر دی تھی۔

شرمندہ ہو کر میں نے معذرت کی: معافی چاہتا ہوں۔ میرا یہ مطلب نہیں تھا۔

وہ ذرا زور سے مسکرائی: میں کوئی بنیاد پرست ہندو نہیں ہوں۔ مگر دنیا کے تمام مذاہب کی طرح ہندو مت بھی بڑا پوتر مذہب ہے۔

میں نے کہا: کیا بات کر رہی ہیں آپ؟ یہ کیسے ہو سکتا ہے؟

ہندنی نے کہا: کیوں، کیا واہیاتی ہے ہندو مت میں؟

میں نے کہا: میں ہندوستان گیا تو نہیں، مگر میں نے تصاویر دیکھیں ہیں اس ہندو دیس کے مندروں کی۔ ایسے بیہودہ اور ننگے بت بناتے ہیں یہ لوگ اپنے دیوی دیوتاؤں کے کہ کیا بتاؤں۔ اور آپ کہہ رہی ہیں کہ یہ پوتر ہیں؟ معافی چاہتا ہوں لیکن اگر آپ کی بات سچ مان لی جائے کہ لوگ اپنی سوچ کے مطابق ہی دیو مالائی داستانیں بناتے ہیں تو پھر تو ہندوستان کے لوگ بڑی گندی سوچ کے مالک ہیں۔

ہندنی نے کہا: پہلے تو یہ سمجھ لیں کہ یہ خطہ جس کو آپ نے ہندو مت سے منسوب کر رکھا ہے دراصل کس کا ہے۔ لفظ سندھو کا مطلب ہے دریا۔ پانچ ہزار سال پہلے جب ہڑپہ کی تہذیب عروج حاصل کر رہی تھی تو اس کا مرکز دریائے سندھ کی سرزمین تھا۔ اسی نسبت سے یہ سندھو دیس کہلانے لگا۔ جب ایرانی یہاں آئے تو لفظ سندھو سے بگڑ کر ہندو بن گیا۔ اب یہ علاقہ ہندو دیس اور بعد میں ہندوستان کہلانے لگا اور یہاں کے باسی ہندو۔

میں نے کہا: تو انگریز اسے انڈیا کیوں کہنے لگے۔

وہ ہنس پڑی: یہ نام اس وقت پڑا جب سکندر اعظم یونانی نے یہاں حملہ آور ہو کر تباہی مچائی۔ ہندو کو وہ لوگ منہ ٹیڑھا کر کے انڈو بولتے اور پھر اسی نسبت سے یہ دیس انہوں نے انڈیا بنا دیا۔

میں نے کہا: اچھا، تو یہ بات ہے۔ مگر واہیات عقیدے تو ہیں نا ان کے؟

وہ بولی: واہیات آپ ننگے بتوں کی وجہ سے کہہ رہے ہیں؟

میں بولا: جو مذہب اپنے دیوی اور دیوتاؤں کے بت ننگے اور جنسی اختلاط کی حالتوں میں بناتے ہوں اس میں کیا اچھائی ہو سکتی ہے؟

اس نے کہا: کیوں، جنسی اختلاط میں کیا برائی ہے؟ کیا میں، آپ اور اس دنیا میں بسنے والے سب انسان اسی اختلاط کا نتیجہ نہیں ہیں؟ میرے خیال میں تو یہ بہت ہی پوتر چیز ہے۔ کوئی بری یا گندی چیز تو نہیں۔

میں ذرا گڑبڑا گیا: نہیں بری تو نہیں، مگر اس کے کرنے کے کچھ اصول کچھ ضابطے ہوتے ہیں، ایسے ہی تھوڑی ہے کہ ہر کوئی گلیوں بازاروں میں یہ عمل کرتا پھرے۔

اس نے آنکھیں بند کر لیں: یہ اصول اور ضابطے تو اب کے ہیں، جس زمانے کی یہ داستانیں ہیں اس وقت تو اقدار کچھ اور ہی تھیں۔

مجھے لگا کہ میں نے ہندنی کو اقبال جرم پر مجبور کر ہی لیا تھا: کونسے ضابطے تھے اس وقت جو کھلم کھلا جنسی اختلاط کو بڑا قابل ستائش عمل بناتے تھے۔

اس نے آنکھیں کھول کر میری آنکھوں میں ڈال دیں: وادی گنگا کی تہذیب بنانے والے جنگجو آریاوں کی آمد سے پہلے، جن کی زندگی کا زیادہ انحصار شکار اور لوٹ مار پر تھا، ہندوستان کی تہذیب وادی سندھ کے دراوڑوں کی ہڑپہ اور مہنجوڈارو کی تہذیب تھی۔ یہ لوگ امن پسند، تخلیقی اور ذہین تھے۔ جنگجو نہ تھے بلکہ محنتی کسان تھے اور ان کی بقاء کا دارومدار اچھی فصل پر ہوتا تھا۔ جدید سائنس کی عدم موجودگی میں ان کی فصلوں کا سارا دارومدار بارشوں، سیلابوں اور دھوپ وغیرہ پر تھا۔ دوسرے لفظوں میں مکمل طور پر قدرت پر تھا۔ ان کو یہی سمجھ آتا تھا کہ قدرت کا سارا نظام ایک ہی طریقے سے چل رہا ہے۔ لہٰذا وہ انسانی بچہ پیدا ہونے اور پودا اگنے کے عمل کو ایک ہی نظر سے دیکھتے تھے۔ گویا کہ بیج دھرتی ماں کی کوکھ میں ڈلتا ہے، اوپر سے آسمان بارش برساتا ہے جس سے فصل پیدا ہوتی ہے۔ وہ دیکھتے تھے کہ ان کا وجود بھی جنسی عمل کا نتیجہ تھا اور ان کی زندگی کی بقاء کرنے والی فصل کا وجود بھی اسی عمل کا نتیجہ تھا۔ اس طرح یہ جنسی عمل جسے آپ بڑا گندا اور غلیظ جانتے ہیں ان کی نظروں میں بڑا مقدس عمل بن گیا۔ پھر وہ اس کی پوجا بھی کرنے لگے۔ لیکن اسُ سے ان کا مقصد کسی واہیات عمل کی پوجا نہیں بلکہ زندگی کی پوجا تھا۔

بات تو بڑے مزے کی تھی مگر مجھے ہضم نہ ہو رہی تھی: لیکن پھر یہ عمل تمام دیوی دیوتاوں سے کیوں منسوب نہیں کیا جاتا؟

وہ کتاب اٹھا کر بولی: کیونکہ ہندومت کوئی الہامی نہیں بلکہ تاریخی مذہب ہے۔ اس میں مختلف ادوار کی سوچ پنہا ہے۔ جب یہاں جنگجو آریا آکر بس گئے تو وہ

ساتھ میں اپنی سوچ بھی لے آئے جس کے مطابق عورت اور مویشی جائیداد تھے جن کو اپنے قبضے میں رکھا جاتا تھا۔ ان کے لئے جنسی اختلاط کا مقصد محض عیاشی یا جنگجو لڑکے پیدا کرنا تھا۔ ان کی یہ سوچ یہاں کے اصل لوگوں کی سمجھ کو ختم تو نہ کر سکی مگر اس میں شامل ضرور ہو گئی۔

کچھ دیر خاموشی چھائی رہی۔ نہ اس نے کتاب پڑھنی شروع کی نہ میں اس کی آنکھوں سے نظریں ہٹا سکا۔ پھر گویا خود بخود میرے منہ سے نکلا: تو آپ کا اس عمل کے بارے میں کیا خیال ہے؟

وہ دیر تک مجھے دیکھتی رہی۔ وقت گویا تھم سا گیا تھا۔ مجھے یوں محسوس ہونے لگا جیسے میرے اندر سے سوندھی مٹی کی خوشبو آنے لگی ہے۔

آخر وہ ٹھنڈی سانس بھر کر بولی: تم مہذب آدمی ہو تم سے بات کی جا سکتی ہے۔ میرے خیال میں یہ ایک بہت مقدس عمل ہے۔ لیکن مقدس یہ شادی سے نہیں انسان کی سوچ سے بنتا ہے۔

یہ کہہ کر اس نے پھر سے کتاب پڑھنی شروع کر دی۔ میں کچھ دیر وہاں بیٹھا رہا پھر اٹھ کر کوفی کی دکان ڈھونڈنے نکل پڑا۔

□□□

قیمت

یوں تو پاکستان میں بھی اب جہاز ٹنل سے لگ جاتے ہیں مگر اس کے امریکی جہاز کو ٹنل مہیانہ کی گئی۔ ایسا کچھ اگر امریکہ میں ہوا ہوتا تو وہ آسمان سر پر اٹھالیتا۔ اب اسے امریکی شہری ہوئے بیس برس ہو چکے تھے، امریکہ اب اس کے روم روم میں تھا۔ مگر پاکستان جیسے پسماندہ ملک میں یہ سب وہ معمول سمجھتا تھا، گو کہ پچیس برس بعد لوٹ رہا تھا۔ آنے کا اس کا کوئی ارادہ تو نہیں تھا مگر نوجوان بھتیجے کی ناگہانی موت نے اسے کچھ دنوں کے لئے ہی سہی، بھائی کا سہارا بننے پر مجبور کر دیا تھا۔ جنازے پر نا بھی پہنچ سکا تو کوئی بات نہیں، چار دن بعد ہی سہی۔ اوپر سے جہاز صبح کے چار بجے ہی لاہور اتر آیا تھا۔

تو جہاز کے ساتھ آکر ٹنل نہیں بلکہ سیڑھی لگی۔ جہاز کے دروازے سے نکل کر سیڑھی پر قدم رکھتے ہی اسے جولائی کی صبح کی ٹھنڈی ہوا کا جھونکہ بہت اچھا لگا۔ لوہے کی سیڑھی اسے دقیانوسی تو لگی، مگر یہ اسے اچھی ان معنوں میں لگی کہ اس میں

اپنائیت کی مہک تھی۔ پاکستان میں میکڈونلڈ وہ کھاتے ہیں جو امریکہ جا نہیں سکتے۔ امریکہ سے آنے والوں کو اپنی مٹی کی خوشبو میکڈونلڈ میں نہیں بلکہ چنے کی دال گوشت اور ساگ میں آتی ہے۔

تو کینٹ کے بعد مال روڈ سے گزرتی اس کی گاڑی ہندوؤں کے بسائے کرشن نگر کی گلیوں میں داخل ہو گئی۔ اس نگر نے اب اسلام قبول کر کے اپنا نام اسلام پورہ رکھ لیا تھا۔ اس کے بھانجے نے گاڑی ایک گلی میں لگا دی اور دونوں لڑکوں نے اس کا سامان اور وجود تقسیم سے پہلے کے تعمیر شدہ تین منزلہ مکان میں پہنچا دیا۔ بھائی پر نظر پڑتے ہی وہ اس کی طرف بڑھا۔ بھائی جان بھی اٹھ کر اس کی جانب بڑھے اور دونوں بھائی بغل گیر ہو گئے۔ بڑا افسوس ہوا بھائی جان اور اللہ آپ کو صبر اور متوفی کو جنت میں جگہ دے جیسے دو چار جملے بول کر اور بس اللہ کی مرضی تھی جیسے چند جملے سن کر دونوں سامنے کے صوفے پر جا بیٹھے۔ فاتحہ پڑھنے کے بعد چند لمحے کی خاموشی چھا گئی۔

کیا ہوا تھا بھائی جان۔ یہ سب کچھ کیسے ہو گیا؟ آخر اس نے لاہور کی کڑک چائے کی چسکیاں لیتے ہوئے پوچھا۔ کیا بتاؤں چھوٹے، بھائی نے کہا، چھ مہینے پہلے تک تو بھلا چنگا تھا منا، پھر اچانک ایک دن پیٹ میں شدید درد اٹھا۔ ہسپتال داخل کروانا پڑا۔ وہ جس کمپنی میں ایڈمن اوفیسر تھا اس کا پینل ہسپتال تھا۔ وہاں منے کے بہت سارے ٹیسٹ ہوئے۔ بلکہ تمام کے تمام ٹیسٹ ہوئے۔ جو ٹیسٹ بھی میڈیکل کی کتابوں میں لکھے ہیں ان میں سے کوئی بھی ٹیسٹ نہ چھوڑا ان ہسپتال والوں نے۔ یہ سب ٹیسٹ کمپنی کی طرف سے مفت تھے۔ ان ٹیسٹوں سے پتا چلا کہ منے کے پیٹ میں رسولی تھی۔

اس رسولی کے نمونے لے کر ان کے بھی بہت سارے ٹیسٹ کئے گئے جس سے پتا چلا کہ رسولی کینسر زدہ ہے۔ بس پھر کیا تھا، فوراً" ہی ہم نے منے کی کمپنی کو درخواست لکھی۔ کمپنی نے نا صرف منے کو بمع تنخواہ کے چھے ماہ کی چھٹی دے دی بلکہ اس کی کیمو تھیراپی اور تینوں آپریشنوں کے تمام اخراجات بھی اپنے ذمے لے لئے۔ کسی بھی چیز کی کمی نہ ہونے دی کمپنی نے میرے بیٹے کو۔ کیا کسی امیر کے بچے کا علاج ہونا تھا جو میرے منے کا ہوا۔ چھوٹے جب وہ درد سے تڑپتا تھا تو ایسے ایسے مہنگے ٹیکے اسے لگاتے تھے کہ ایک دم بڑا پرسکون ہو کر سو جاتا تھا۔ بے دریغ لگاتے تھے وہ ٹیکے۔ ہر ہفتے کمپنی کا ایچ آر اوفیسر آکر تمام کا تمام بل ادا کر جاتا، ہسپتال والوں سے پوچھتا بھی نہ کہ اتنا بل کیسے بنا۔ ایک دن منے کا جنرل مینیجر بھی اس کی مزاج پرسی کو آیا تھا۔ دو آپریشن یہاں ہوئے اور ایک کراچی میں۔ مگر ہمیں تو کچھ کرنا ہی نا پڑا۔ کمپنی کے خرچے پر منے کو کراچی لے کر گئے اور اوپریشن کیا، پھر واپس لے آئے۔

تھوڑی دیر کے لئے پھر خاموشی چھاگئی۔ پھر ایک لڑکا بولا ماموں جی کے لئے ناشتہ لے آوں؟ ہاں ہاں جا، پوریاں اور لسی بھی لا چھوٹے کے لئے بھائی نے کہا، پھر قبرستان لے کر چلیں گے اسے فاتحہ کے لئے۔ لڑکا چلا گیا اور پھر خاموشی چھاگئی۔ مجھے تو اپنی موٹر سائیکل بھی نہیں پہنچنی پڑی چھوٹے۔ بھائی جان پھر بولے۔ میں تو دعائیں دیتا ہوں کمپنی کو۔ اللہ ہمیشہ سلامت رکھے اس کمپنی اور اس کے مالکوں کو۔

بھائی جان کی یہ باتیں سن کر کونے میں بیٹھے لڑکے کی نظروں میں پچھلے سال کا محلے کا جنازہ گھوم گیا جس میں جوان بیٹے کی موت پر باپ کو بار بار غش پڑ رہے تھے

اور کئی ہفتے تک وہ روتا اور اپنے بیٹے کی باتیں کرتا نا تھکتا تھا۔ لڑکا سوچ رہا تھا کہ پچھلے سال والا باپ کتنا پیار کرنے والا تھا اور بھائی جان کتنے لالچی اور دولت پرست والد ہیں کہ بیٹے کی موت سے زیادہ انہیں کمپنی کی دولت اور علاج پر ہونے والے خرچ کی پڑی ہے۔ دوسری طرف بھائی جان کی یہی باتیں سن کر چھوٹے کی نظروں میں ان کا بوڑھا باپ گھوم رہا تھا جو کوبے میں جانے تک ہر رات اس بات پر رو کر سوتا تھا کہ اس کا پہلا بیٹا دو سال کا تھا جب اس کا اپینڈکس کا اوپریشن ہونا تھا مگر لوگوں سے ادھار جمع کرتے کرتے دن گزر گیا اور بچے کا اپینڈکس پھٹ گیا۔ لوگ ہمیشہ انہیں بتاتے تھے کہ بچے کو دفنانے تک ان کا باپ چھوٹی سی میت کے پاوں چومتا اور دھاڑیں مار مار کر روتا تھا۔ چھوٹا بس یہ سوچ رہا تھا کہ انسان اپنے جانے والوں کو زیادہ روتا ہے یا اپنی بے بسی کو؟

پوریاں اور لسی آگئی تو دونوں بھائی ناشتہ کرنے لگے۔

□□□

مٹی

م اور ع کمرے میں داخل ہوئے اور آمنے سامنے بیٹھ گئے۔ دونوں نے سگریٹ سلگا لئے۔ م نے دونوں پاؤں میز پر رکھ دیئے۔ ع نے اپنے پاؤں م کی رانوں پر رکھ لئے۔

م بولا: ہم بھی عجیب لوگ ہیں۔ میں اپنا زکام ٹھیک کرنے کے لئے بے بانگے چوزے کی یخنی پیوں؟

ع بولی: حکیم کہتے ہیں، اور میرے خیال سے ٹھیک ہی کہتے ہیں۔ دیسی چوزے کی یخنی میں بڑی گرمی اور طاقت ہوتی ہے۔ زکام ٹھیک کر دے گی۔

م نے غصہ سے ع کو گھورا: تمہیں پتا ہے تم کیا کہ رہی ہو؟ اپنی ایک وقتی اور معمولی سی بیماری ٹھیک کرنے کے لئے میں ایک بچے، ایک چھوٹے بچے کی گردن پر چھری پھیروں تاکہ اس کا سارا خون بہہ جائے اور پھر اس کے بدن سے کھال کھینچ کر،

اس کی انتڑیاں نکال کر اس کے مردہ جسم کو آگ پر رکھے پانی میں ابالوں؟ میں انسان ہوں کہ وحشی درندہ؟

ع ذرا سنبھل کر بولی: اب تم عجیب و غریب باتیں نہ کرو۔ مرغی کے چوزے اور بچے کو مت ملاؤ۔

م: کیوں، بچے صرف انسانوں کے ہوتے ہیں؟

ع آہستہ سے بولی: نہیں، مگر جانوروں میں جذبات نہیں ہوتے۔ ان کو اپنے بچے مرنے پر دکھ نہیں ہوتا۔

م: تم نے کبھی کسی جانور کو اپنے بچے کے لئے روتے نہیں دیکھا؟

ع پریشان ہو کر کسمسائی۔ ابھی پچھلے ہفتے ہی اس نے اپنے محلے کی آوارہ بلی کو اپنے مردہ بچے کو منہ میں پکڑے ادھر سے ادھر بھٹکتے دیکھا تھا۔ بچہ گاڑی کے نیچے آکر ادھڑا پڑا تھا۔ اس کی نظروں کے سامنے اپنا دو سالہ بیٹا آگیا۔ اسے جھرجھری آگئی۔ اس رات جب بلی ع کی کھڑکی میں بیٹھ کر روئی تھی تو ع کا دل بیٹھ گیا تھا۔ اس رات وہ م کے ساتھ ہمبستری بھی نہ کر پائی تھی۔

ع یک دم اداس ہو کر بولی: اچھا نہ پیو یخنی، مگر پلیز ایسی باتیں تو نہ کرو۔

م: مجھے وھسکی تو لا دو۔

ع جا کر وھسکی کی بوتل، گلاس، پانی، برف اور کاجو لے آئی اور ایک پیگ بنا کر م کو دے دیا۔ م نے اپنی رانوں پر رکھے ع کے گورے اور خوبصورت پاؤں سہلاتے

ہوئے وھسکی کی چسکیاں لینی شروع کر دیں۔ اس کی شکل سے لگتا تھا وہ اپنے کسی عزیز کے جنازے پر آیا ہوا ہے۔ پیگ ختم کر کہ اس نے خالی گلاس ع کو دیا۔

ع بڑی عاجزی سے بولی: اور نہ پیو۔ پھر تم آدھی رات تک روتے رہو گے۔

م نے ذرا ڈھلکتی ہوئی آنکھوں سے اسے دیکھا اور اداسی سے مسکرا کر بولا: یار پیر تو پکڑوا رکھے ہیں تم نے، اب کیا سر رکھ دوں ان حسین قدموں میں؟

جب ع چپ چاپ محبت بھری نظروں سے اسے دیکھتی رہی تو اس نے خالی گلاس ع کی رانوں کے بیچ رکھ کر ہاتھ سر کے پیچھے رکھ لئے اور آنکھیں بھینچ کر بولا: دے دو یار۔ کچھ تو سہارا دو مجھے زندہ رہنے کا۔

ع نے ایک اور پیگ بنا کر اسے تھما دیا۔

دو چسکیاں لے کر م بولا: تمھیں پتا ہے ہڑپہ کی تہذیب میں جو سب سے بڑی دیوی تھی، جس کے مجسمے بناتے وقت پستان اور کولہے خاص طور پر بڑے بڑے بنائے جاتے تھے، وہ کس چیز کی دیوی تھی؟

ع ہاتھ اٹھا کر دور کا اشارہ کرتے ہوئے: وہ مہنجوڈارو کے لوگ؟

م: وہ نہیں ہم لوگ۔ ہم ہڑپہ کے، ہم مہنجوڈارو کے، ہم وادی سندھ کی مٹی کے لوگ۔ ہم لوگ۔

ع: ہم؟ ہم تو ہڑپہ کے لوگ نہیں!

م: اچھا، تو ہم کون ہیں؟

ع: ہم تو مسلم قوم کے لوگ ہیں۔

م: میں مٹی کی بات کر رہا ہوں، ریت کی نہیں۔

ع: تمہیں نشہ ہو رہا ہے۔ کیا اول فول بک رہے ہو؟

م: انسان مٹی سے پیدا ہوتا ہے اور مٹی میں گندھا ہوتا ہے۔ وہ جتنی بھی کوشش کر لے، اپنی مٹی کی خوشبو سے بھاگ نہیں سکتا۔ جس مٹی کا اناج کھا کر اس کی ماں اس کے لئے دودھ پیدا کرتی ہے اور جس مٹی سے اگا اناج وہ ساری عمر کھاتا رہتا ہے وہ مٹی اس کے روئیں روئیں میں شامل ہو جاتی ہے۔ اس سے فرار ممکن نہیں۔ نہ صرف انسان کا جسم بلکہ اس کی سوچ بھی اس کی مٹی سے تعمیر ہوتی ہے۔ تم نے دیکھا نہیں کہ انسان اپنے اختتام تک اپنی ابتدا کو ہی کھوجتا رہتا ہے۔

ع، ذرا تذبذب سے: اختتام تک ابتدا کو کھوجتا رہتا ہے، مطلب؟

م: جیسے انسان اندام نہانی سے جنم لیتا ہے اور پہلی خوراک ماں کے پستان چوس کر حاصل کرتا ہے، پھر وہ ساری عمر ہی اندام نہانی اور پستانوں کو کھوجتا رہتا ہے۔

ع: تم مردوں کی بات کر رہے ہو!

م: کیا کروں، مرد ہوں۔ پر اپنی مرضی سے تو نہیں بنا ایسا۔

ع: اچھا چھوڑو، اس ہڑپہ کی دیوی کی کیا بات بتا رہے تھے؟

م: وہ میں چوزے کی یخنی پی کر نئی زندگی حاصل کرنے کے پس منظر میں کہہ رہا تھا۔ وہ دیوی بیک وقت زندگی اور موت کی دیوی تھی۔

ع: تو اس میں کیا خاص بات ہے، سارے مذاہب میں خدا ہی زندگی اور موت پر اختیار رکھتا ہے۔ جو زندگی دیتا ہے وہی واپس لے لیتا ہے۔

م: یہ مذہب کی نہیں سوچ کی بات ہے۔ تم واحدانی مذاہب کی بات کر رہی ہو۔ جس مذہب میں خدا ہی ایک ہو تو ظاہر ہے کہ ہر چیز پر قادر وہی ہو گا۔ مگر ہمارے پرکھوں پر تو یہ قدغن نہیں تھی۔ وہ تو ہر چیز کے لئے علیحدہ دیوی دیوتا بناتے تھے۔ انہوں نے زندگی اور موت کے لئے ایک ہی دیوی کیوں بنائی؟ جبکہ واحدانی مذاہب میں بھی پیدائش اور موت سے متعلق فرشتے مختلف ہوتے ہیں۔

ع: تم بتاو۔

م: کیونکہ مردہ جسم جس مٹی میں جاتا ہے، اسی مٹی سے اناج اگتا ہے جسے انسان اور حیوان، سب کھا کر جیتے ہیں۔ انہیں احساس تھا کہ جنم اور مرن ایک ہی چکر کے دو حصے ہیں۔ زندگی سے موت جنم لیتی ہے اور موت ہی زندگی کو جنتی ہے۔

ع: بس کرو یہ فضول فلسفہ۔

م ہنس کر: ہاں، چھوڑو، مٹی ڈالو۔ مجھے ایک اور پیگ بنا دو۔

□□□

بے غیرت کتے

وہ ایک کتا تھا۔ بے غیرت اس لئے تھا کہ اپنی بہن کے ساتھ سوتا تھا۔ کیا کہا جا سکتا ہے، جانور تھا کوئی ذات دھرم کو ماننے والا تو تھا نہیں۔ نہ کوئی اصول نہ شرم و حیا۔ اسے یہ بھی نہیں کہا جا سکتا تھا کہ بھائی یہ بے غیرتیاں تمہارے جنگل میں بے شک معمول ہوں گی مگر یہ جنگل نہیں مہذب معاشرہ ہے۔ نہ ہی اسے سائنس کی منطق سے قائل کیا جا سکتا تھا کہ ایسے عمل سے اجتناب کرو ورنہ اگلی نسلوں میں موروثی پیچیدگیاں پیدا ہو سکتی ہیں، ہماری کزن میرج نہیں دیکھتے؟

اگرچہ کتوں کے منہ کوئی بھی نہیں لگنا چاہتا، مگر یہ بھی نہیں تھا کہ کسی نے اسے آداب معاشرت سکھانے کی کوشش نہ کی تھی۔ بڑی جوتیاں اور ڈنڈے مارے گئے۔ پتھر اور اینٹیں بھی برسائیں گئیں اس بے حیا جوڑے پر، مگر بے سود۔ وہ باز نہ آئے۔ جب مار پیٹ کے بعد بھی کچھ نہ بنا تو لوگ تھک ہار کر بیٹھ گئے۔ اب محلے میں صلاح مشورے ہونے لگے کہ اس بے غیرتی کو کس طرح روکا جائے؟ ہر ایک ترکیبیں

بتانے لگا مگر دبی دبی زبان میں۔ کوئی بھی کھل کر اس موزوع پر بات نہ کرنا چاہتا تھا مبادہ کوئی اس پر آوازہ کس دے کہ واہ بھئی تم تو بے غیرتوں کی رگ رگ سے واقف ہو، اور پھر اس کا ٹھٹھہ لگ جائے۔ مگر کسی سے چپ بھی نہ بیٹھا جارہا تھا۔ آخر کو ان کی عزت کا سوال تھا۔ اب تو محلے کی لڑکیوں نے بھی گلی سے گزرتے ہوئے ان کو دیکھ کر دوپٹا منہ میں دے کر کھی کھی کرنا شروع کر دیا تھا۔ سب اس بات پر متفق تھے کہ پانی سر سے گزر چکا تھا۔ اور اب جب کہ بات پھیلنے لگی تھی تو سب کو یہ دھڑکا بھی لگا رہتا تھا کہ کہیں یہ بات محلہ سے باہر نہ نکل جائے۔ اگر ایسا ہو جاتا تو سارے محلہ کی ناک کٹ جاتی۔ سب تھو تھو کرتے ان کی غیرت پر۔

بڑی کشمکش میں گرفتار ہو گئے تھے سب۔ یہ کتے کے بچے محلے کے سور گواسی سادھو کے چہیتے کتے کی اولاد تھے۔ سادھو مہاراج کی ناراضگی کے ڈر سے وہ ان کا قتل کرنے سے کترا رہے تھے، غیوت کے نام پر بھی۔ اور محلہ وہ بے غیرت اتنی مار کھانے کے باوجود چھوڑ کر نہیں جا رہے تھے۔

تگڑو اور مگڑو محلے میں رہنے والے جڑواں بھائی تھے۔ چونکہ جڑواں تھے اس لئے دونوں ہی آٹھویں جماعت میں پڑھتے تھے۔ دونوں کی خوب دوستی تھی۔ چار بہنوں کے بعد ہوئے تھے اس لئے گھر میں سب سے چھوٹے اور لاڈلے بھی تھے۔ آٹھویں میں آنے کے بعد ان کی دوستی اور بھی زیادہ ہو گئی تھی۔ سارا دن علیحدہ بیٹھے ہنستے رہتے۔ ہاتھ میں ہاتھ ڈالے چھت پر آتے جاتے دکھائی دیتے اور کھانا کھاتے ہی بستر میں گھس جاتے اور پھر رات گئے تک جانے کیا کھسر پھسر اور کھی کھی کرتے رہتے۔

بے غیرت کتوں کی آمد نے ان کو ایک نئی دلچسپی فراہم کر دی تھی۔ اب سارا دن وہ اس ٹوہ میں رہتے کہ بے غیرت جوڑے کو نازیبا حرکات کرتے دیکھیں اور پھر مذاق کرتے اور ایک دوسرے کو چٹکیاں کاٹتے بھاگتے پھریں۔

ہر وقت بے غیرت کتوں کی باتیں ہوتے رہنے کا نتیجہ یہ نکلا کہ کتوں کی بے غیرتی محلے والوں کے ذہنوں پر سوار ہو گئی۔ یہاں تک کہ ان میں سے کئی لوگوں کو گندے گندے خواب بھی آنے لگے۔ بگے کو خواب آیا کہ اس کا افسر اپنی بہن کے ساتھ سو رہا ہے۔ اس دن وہ خوش خوش اٹھا اور دفتر میں سب چپڑاسیوں کو یہ خواب خوب نمک مرچ لگا کر، مگر محلے کے کتوں کا سیاق وسباق حذف کر کہ سنایا۔ سب بہت محظوظ ہوئے۔ جمرو کو بھی ایسا ہی ایک خواب آیا مگر اس کو جاگنے کے بعد دو دن تک متواتر متلی محسوس ہوتی رہی، کیونکہ اس نے خواب میں اپنے آپ کو اپنی ہی بہن کے ساتھ دیکھ لیا تھا۔

دو دن تو جمرو کی طبیعت خراب تھی لہٰذا اس نے کسی سے زیادہ بات نہ کی۔ صبح سویرے ہی اٹھ کر جلدی جلدی تیار ہوتا اور کالج بھاگ جاتا۔ کلاسیں ختم ہونے کے بعد بہانے سے کسی نہ کسی دوست کو روک لیتا اور شام ڈھلے گھر جاتا۔ جاتے ہی کتابیں کھول لیتا اور پھر تھوڑا بہت کھانا زہر مار کر کہ جلدی سے بستر میں گھس جاتا۔ دو دن بعد متلی تو ختم ہو گئی مگر جمرو نے اپنا یہ معمول جاری رکھا۔ جب سے اس نے وہ گندا خواب دیکھا تھا اسے بہن کے خیال سے ہی گھن آتی تھی۔ جمرو کوشش کرتا کہ بہن سے ٹاکرا نہ ہو، لیکن وہ جتنی بھی کوشش کرتا، گھر میں رہتے ہوئے یہ ناممکن تھا۔ جمرو جو

پہلے بہن کو دیکھتے ہی کھل اٹھتا تھا، اب بجھ سا جاتا۔ اس کا جی کرتا کہ بہن سے اس کی بات ہی نہ ہو، اگر ہو تو مختصر اور کسی گھر والے کی موجودگی میں۔ بہن کے ساتھ اس کا رویہ اچانک گھٹا گھٹا .اکھڑا اکھڑا سا ہو گیا تھا۔

ایک دن چھانی دروازے میں بیٹھی چاول چن رہی تھی کہ ایک سادھو آگیا۔ سوائے ایک چھوٹے سے جانگیے کے بالکل ننگا۔ پہلی بار نہ آیا تھا۔ جب بھی آتا آواز نہ لگاتا، جو نظر آجاتا اس کے سامنے جھولی پھیلا دیتا۔ کوئی بھیک دے دیتا تو ٹھیک، ورنہ چپ چاپ دوسرے کے آگے جھولی پھیلا دیتا۔ تین لوگ بھیک نہ دیتے تو چپ چاپ چلا جاتا۔ جب تک تین لوگوں سے بھیک نہ مانگ لیتا چپ چاپ کھڑا انتظار کرتا رہتا۔ بھیک بھی اپنی مرضی کی لیتا۔ ایک مٹھی اناج اور ایک مٹھی دال یا دو آلو کے برابر سبزی۔ کوئی کم دیتا تو چپ چاپ دوسرنے کے پاس جاکر جھولی پھیلا دیتا۔ اور اگر کوئی زیادہ دینا چاہتا تو "اوم" کی ایک لمبی سی صدا لگا کر کہتا، پہلے سانس اکھٹا کرلوں، پھر اناج بھی جمع کرلوں گا۔ اور دو مٹھیوں کی بھیک لے کر چلا جاتا۔

ننگے سادھو کو دیکھ کر چھانی کا دل بھر آیا۔ یہ بھگوان کا نیک بندہ ہے، جنسی تعلقات سے انہوں نے زندگی بھر کا جوگ لیا ہوتا ہے، بڑے پاکیزہ لوگ ہوتے ہیں یہ۔ ننگا سادھو ضرور کوئی اپائے کرے گا، اس نے سوچا۔ اپائے محلے والوں نے سوچ رکھا تھا، اس بے غیرت جوڑے کا قتل، مگر کسی سادھو سنت کی آشیرباد کے بغیر سادھو کے چہیتے کتے کے بچوں کو مارنے کی کسی میں ہمت نہ تھی۔ "سادھو مہاراج کو میں ان کی ساری بے شرمیاں بتاوں گی اور وہ ضرور جلال میں آکر ان کو جان سے مارنے کی اچھا کا

اظہار کریں گے اور ہماری اس بے غیرتی سے جان چھوٹے گی"۔ جلدی جلدی ساڑھی کا پلو ٹھیک کر کہ اس نے چاول کا چھابا رکھ دیا اور اندر سے مٹھی بھر دال لے آئی۔ اس وقت گلی میں اور کوئی نہ تھا لہٰذا ننگا سادھو سیدھا چھانی کی طرف ہی آیا۔ ابھی سادھو چار پانچ گھر دور ہی تھا کہ بے غیرت کتوں کا جوڑا اٹھکیلیاں کرتا کہیں سے نکلا اور سادھو کو پہچان کر اس کے پاوں چاٹنے لگا۔ ننگا سادھو وہیں زمین پر بیٹھ گیا اور ان سے لاڈ کرنے لگا۔ اور جب کھیلتے کھیلتے ہی ان بے غیرتوں نے سادھو کے ساتھ ساتھ ایک دوسرے کو بھی نازیبا طریقے سے چاٹنا شروع کر دیا تو وہ ہنسنے لگا۔ "ارے تم بدمعاشوں نے آپس میں ہی جوڑا بنا لیا ہے؟" چند ساعتیں ان سے کھیلنے کے بعد وہ اٹھ کھڑا ہوا، "چلو ہٹو، مجھے جانے دو اب"، وہ انہیں پیار سے دھکیل کر چھانی کے گھر کی طرف بڑھا، مگر چھانی اندر جا چکی تھی۔

□□□

تم کون ہو؟

جب روسٹرم پر پہنچ کر وکیل صاحب نے فائلیں سیدھی کیں اور کہا، "جناب والا، میرے مؤکل پر ایک جھوٹا مقدمہ دائر کیا گیا ہے۔ اس گھناؤنے جرم سے میرے مؤکل کا کوئی تعلق نہیں" تو یہ وکیل صاحب کا مقدمہ میں پہلا جملہ تھا۔

اس سے پچھلے مقدمہ میں تاریخ پڑتے ہی عدالت کے ریڈر نے ہرکارے کو اشارہ کیا جس نے دروازے پر کھڑے ہو کر لمبی تان میں اگلا مقدمہ باآواز بلند پکارا "احسان بنام سرکار"۔ اس ابتدایہ جملے والے احسان کے وکیل صاحب پہلے ہی چوکنے بیٹھے تھے، آواز پڑتے ہی اٹھے اور جلدی جلدی فائلیں سنبھالتے جج صاحب کے سامنے نسب روسٹرم پر جا پہنچے۔ وکیل صاحب کے روسٹرم پر پہنچتے پہنچتے ان کے چار شاگرد وکیل بھی کمرہ عدالت کی مختلف نشستوں سے اُٹھ کر ان کے پیچھے جا کھڑے ہوئے۔ ان چاروں کو وکیل صاحب خاص طور پر لے کر آئے تھے۔ اس کے دو فوائد تھے۔ ایک تو یہ کہ شملہ اونچا رہتا تھا۔ وکیل صاحب کوئی عام وکیل نہ تھے بلکہ ایک سیاسی

وکیل تھے۔ اور یہ کوئی اچھا تو نہ لگتا تھا کہ ایک لیڈر اکیلا ہی فائلیں اٹھائے عدالت میں جاتا دکھائی دے۔ چوہدریوں کے شملے تو اونچے ہی رہنے چاہیں، ورنہ تو ہر کوئی ایرا غیرا نتھو خیرا حسبیوں نسبیوں کی عزت اچھالتا نظر آئے۔ اور دوسرا فائدہ یہ تھا کہ ستارے نما شاگردوں کے جھرمٹ میں وکیل صاحب ایک بڑے، چمکدار اور طاقتور چاند کی مانند نمایاں ہوتے تھے جس سے جج صاحبان پر خاطر خواہ رعب اور دبدبہ کا اطلاق ہوتا تھا۔ جج صاحب کو یاد آجاتا تھا کہ ان کے سامنے کوئی عام وکیل نہیں بلکہ ایک لیڈر کھڑا ہے جو اگر ان کے فیصلہ سے ناراض ہو گیا تو بات اخباروں میں بیان بازی اور ٹی وی چینلوں میں پریس کانفرنسوں تک جاسکتی ہے جن میں جج صاحب پر سچا جھوٹا کیچڑ بھی اچھالا جاسکتا ہے۔ اس کے علاوہ شاگردوں کی موجودگی میں جج صاحب وکیل صاحب پر زیادہ سختی بھی نہ کر سکتے ہیں مبادا کہ استاد کی ہتک پر جوان خون جوش مار جائے۔ لہذا سائلین پر اپنی وکالت کی دھاک بٹھانے کے لئے وکیل صاحب بلا روک ٹوک جتنی لمبی چاہتے بحث کر سکتے تھے۔

جب روسٹرم پر پہنچ کر وکیل صاحب نے فائلیں سیدھی کیں اور کہا، "جناب والا، میرے مؤکل پر ایک جھوٹا مقدمہ دائر کیا گیا ہے۔ اس گھناؤنے جرم سے میرے مؤکل کا کوئی تعلق نہیں" توان کی آواز نسبتاً گرجدار تھی۔

دلائل دیتے ہوئے وکیل صاحب اس بات کا خاص خیال رکھے ہوئے تھے کہ عدالت میں بیٹھے ہوئے تمام سائیلین پر یہ بات روز روشن کی طرح عیاں ہو جائے کہ ان سے دلائل سنتے ہوئے جج صاحب کا رویہ دوسرے مقدمات کی نسبت فرق ہے۔

باقی وکلاء کی نسبت جج صاحب انہیں نا صرف بڑے انہماک سے سنے چلے جا رہے ہیں بلکہ ہر تھوڑی دیر بعد اثبات میں سر ہلا کر دلائل کی داد بھی دیتے ہیں۔ اس لئے جب بھی جج صاحب وکیل صاحب کی بات کاٹنے کی کوشش کرتے یا ان کی کسی دلیل پر بے چینی سے سر اِدھر اُدھر مارنے لگتے تو وکیل صاحب کا لہجہ فوراً ایسا گرجدار ہو جاتا کہ جج صاحب بس گھٹ سے جاتے۔ اور ساتھ ہی وکیل صاحب نہایت شیریں لہجے میں "جنابِ والا جنابِ والا" کہہ کر گویا اُن کی خاموشی پر اپنے تشکر کا اظہار کرتے۔ دورانِ دلائل اعلیٰ عدالتوں کے فیصلے پیش کرتے ہوئے بھی وکیل صاحب نے اس بات کا خیال رکھا کہ ہر بار وہ اپنے ایک مختلف شاگرد سے کہیں کہ میاں صاحب یا ڈوگر صاحب یا بٹ صاحب ذرا فلاں فیصلہ پکڑائیے گا۔ یہ تردد اس لئے ہوتا کہ ہر خاص و عام کو معلوم ہو جائے کہ وہ کتنی محنت سے مقدمہ کی تیاری کرتے ہیں اور یہ بھی کہ ان کے تمام شاگرد بھی مقدمہ تیار کرنے میں ان کی مدد کرتے ہیں۔ یہ علیحدہ بات تھی کہ دو ایک فیصلے جج صاحب کو پڑھ کر سناتے ہوئے وکیل صاحب کو احساس ہوا کہ شاگردوں اور منشی نے مل کر غلط فیصلے پلاسٹک کی سبزی والی ٹوکری میں رکھ دیئے تھے۔ مگر انہوں نے زیادہ خیال نہ کیا اور دلائل ہی دلائل میں جج صاحب کو یاد دلا دیا کہ پچھلے ہی ہفتے جو انہوں نے ایک وزیر کے خلاف بار روم میں تقریر کی تھی اُس کو پرنٹ اور الیکٹرونک میڈیا نے کتنی پزیرائی بخشی تھی۔

جب روسٹرم پر پہنچ کر وکیل صاحب نے فائلیں سیدھی کیں اور کہا، "جناب والا، میرے مؤکل پر ایک جھوٹا مقدمہ دائر کیا گیا ہے۔ اس گھناؤنے جرم سے میرے مؤکل کا کوئی تعلق نہیں" تو جج صاحب ذرا سیدھے ہو کر بیٹھ گئے۔

یہ رسمی سا جملہ تھا جو تقریباً ہر وکیل اپنے مقدمہ کے ابتدائیہ میں بولتا تھا۔ آج صبح ہی جب ایک نووارد وکیل صاحب نے اسی جملے سے اپنے دلائل کی ابتدا کی تھی تو جج صاحب کی حس مزاح بری طرح پھڑک اٹھی تھی اور انہوں نے بے اختیار ہو کر کہا تھا، "واقعی وکیل صاحب، تو آپ کو آپ کے مؤکل نے سچی بات بتادی ہے؟" اور یہ کہہ کر جج صاحب کھلکھلا کر ہنس پڑے تھے۔ جج صاحب کا اس طرح ہنسنا تھا کہ عدالت میں موجود سب وکلاء بھی بے اختیار ہنس پڑے۔ وہ بھی جو ایک دوسرے کے کانوں میں باتیں کر رہے تھے اور جج صاحب کی بات نہ سن پائے تھے۔

لیکن وکیل صاحب کے منہ سے یہی گھسے پٹے کلمات سُن کر جج صاحب نے زور زور سے سر ہلا کر اتنے غور سے احسان کو دیکھا کہ اس کا سوا سیر خون بڑھ گیا اور عدالت میں موجود باقی سائلین نے دل ہی دل میں تہیہ کر لیا کہ وہ بھی وکیل صاحب کو اپنا مقدمہ سُنا کر کم از کم مشورہ ضرور حاصل کریں گے۔ وکیل صاحب کی تیاری جج صاحب پر واضح تھی۔ تیاری دو کوڑی کی بھی نا کی تھی وکیل صاحب نے، بس اپنے تجربے کی بنا پر مناسب سے دلائل دے رہے تھے جو کوئی دو سال تجربے والا نووارد وکیل بھی ذرا سی محنت سے دے سکتا تھا۔ مگر اس بارے میں کوئی بھی غیر ذمہ دارانہ جملہ بھاری پڑ سکتا تھا۔ وکیل صاحب سیاسی ہونے کے ساتھ ساتھ خاصے بدتمیز بھی

واقع ہوئے تھے اور اُن کو ناراض کرنے کا مطلب اپنے خلاف الزامات کی بوچھاڑ کو دعوت دینے کے مترادف تھا۔ ویسے تو قانون نے جج صاحب کے ہاتھ بے حد مظبوط کر رکھے تھے اور وہ کسی بھی وکیل کو اپنی شان میں گستاخی کرنے پر چھ ماہ قید بامشقت سُنا سکتے تھے؛ مگر وہ اِن چکروں میں بھلا کہاں پڑتے۔ جو وکیل جج نہیں بن سکتے وہ ویسے ہی ججوں سے بڑی حسد کرتے ہیں، ذرا ذرا سی بات کا بتنگڑ بنا دیتے ہیں۔ انہیں کیا ضرورت تھی کہ یاجوج ماجوج کی یہ فوج اپنے پیچھے لگا کر اپنے سالے کی نوکری، سرکاری خرچہ پر چند بین الاقوامی دورے اور اسی طرح کی بے ضرر سی چیزوں کے ایشو بنواتے پھریں۔ لٰہذا جج صاحب نے ہر ہر دلیل پر وکیل صاحب کو وہ وہ داد دی کہ دلائل ختم ہونے تک وکیل صاحب کا چہرہ گل وگلنار ہو گیا اور اپنے اختتامیہ جملے کے ساتھ وکیل صاحب نے کمر تک جھک کر جج صاحب کا شکریہ ادا کیا۔

جب روسٹرم پر پہنچ کر وکیل صاحب نے فائلیں سیدھی کیں اور کہا، "جناب والا، میرے مؤکل پہ ایک جھوٹا مقدمہ دائر کیا گیا ہے۔ اس گھناؤنے جرم سے میرے مؤکل کا کوئی تعلق نہیں" تو اکبر کا دل بیٹھ سا گیا۔

مقدمہ کا عنوان تو احسان بنام سرکار تھا مگر اصل میں مدعی اکبر تھا۔ یہ اکبر ہی تھا جس نے اپنا گھر گروی رکھوا کر احسان کو قرض پر مال سپلائی کیا تھا۔ ادائیگی کی گارنٹی کے طور پر بیس لاکھ کا چیک احسان سے لے لیا تھا۔ جب احسان نے پانچ ماہ گزرنے کے باوجود ادائیگی نہ کی اور ساہوکار نے اکبر سے اپنے روپے یا اُس کے مکان کا تقاضہ کر دیا تو مجبوراً اکبر کو ایف آئی آر کٹوانی پڑی۔ پولیس کو رشوتیں دے دے کر

اکبر کے کنگال ہونے میں باقی رہی سہی کسر بھی پوری ہو چکی تھی۔ تفتیشی افسر نے ویسے تو اکبر سے ملزم کو گرفتار کرنے کی مد میں بھی بیس ہزار اینٹھ لئے تھے مگر آحسان سے پینتیس ہزار لے کر اُسے ایک دن کی مہلت دے دی تھی کہ وہ ضمانت کروالے۔ اکبر کو اس نے ٹال دیا کہ چھاپے میں احسان بھاگ گیا اور اب اس نے ضمانت کروالی ہے سو اب کچھ نہیں ہو سکتا۔ اُسے بھی معلوم تھا کہ اکبر اس کا کچھ نہیں بگاڑ سکتا تھا۔ یہ البتہ اس نے اکبر پر واضع کر دیا تھا کہ آج اگر احسان کی ضمانت خارج ہو گئی تو وہ جیل سے بچنے کے لئے اُسے فوراً ادائیگی کر دے گا، لیکن اگر آج احسان کی ضمانت پکی ہو گئی تو پھر وہ اپنے پیسے بھول جائے۔

اپنے پیسے بھول جائے؟ اپنا گھر بھول جائے؟ اکبر نے تفتیشی کو سمجھانے کی کوشش کی تھی کہ احسان اگر قانون کے چنگل سے بچ نکلا تو اکبر دیوالیہ ہو جائے گا، اُس کے بچوں کے سَر سے چھت چھن جائے گی، اُس کے اور اُس کے بچوں کے مستقبل کے سُہانے خواب چُور چُور ہو جائیں گے۔ جواب میں تفتیشی نے بھی بے دلی سے اُسے سمجھا دیا تھا کہ اُسے اپنی قسمت پر شاکر رہنا چاہیے، قدرت کے ہر کام میں بہتری ہوتی ہے۔

جس طمطراق سے احسان کے وکیل صاحب دلائل دے رہے تھے اور جس والہانہ انداز سے جج صاحب اُن دلائل سے سہمت ہوتے نظر آتے تھے، اکبر کا دل بٹھانے کے لئے کافی تھے۔ اُس کی سمجھ میں نہیں آرہا تھا کہ جب احسان کے وکیل صاحب نے دلائل میں مال وصول کرنا تسلیم کر لیا تھا تو اب جج صاحب اکبر کی ادائیگی کا حکم کیوں نہیں کرتے، اب مقدمے میں رہ ہی کیا گیا تھا؟

وکیل صاحب کے دلائل ختم ہوتے ہی جج صاحب تفتیشی کی طرف متوجہ ہوئے، "ہاں، پولیس کی تفتیش کیا کہتی ہے؟"۔ مگر اس سے پہلے کہ تفتیشی کچھ کہتا، اکبر بے اختیار بول پڑا، "جناب میں نے اپنا گھر گروی رکھ کر اسے مال دیا تھا، یہ مال بھی کھا گیا اور پیسہ بھی نہیں دیتا۔ انصاف کریں جج صاحب ان۔۔۔۔۔۔" اس کی بات جج صاحب کی گرجدار دھاڑ نے بیچ میں ہی کاٹ دی۔ "تم کون ہو؟"

"جی میں، جی میں، جی میں۔۔۔۔۔۔" جج صاحب کی گھن گھرج اور غصے سے گھورتی آنکھوں سے اکبر گڑبڑا گیا۔ جب کوشش کے باوجود اس کے منہ سے پورا جملہ نہ نکل سکا تو تفتیشی نے باادب ہو کر کہا، "سر یہ مدعی ہے"۔

"اس نے وکیل نہیں کیا؟" جج صاحب نے تفتیشی سے ہی استفسار کیا۔ اور یہ جاننے کہ بعد کہ اکبر نے وکیل نہیں کیا، جج صاحب نے ایک بار پھر اسے غصے سے گھورتے ہوئے ڈانٹا، "اب اگر تم نے عدالتی کارروائیمیں دخل دیا تو تمہیں جیل بھجوا دوں گا۔"

اکبر کا رہا سہا حوصلہ اصغر ہو گیا۔

اور جج صاحب ایک بار پھر تفتیشی کی طرف متوجہ ہوتے ہوئے گویا ہوئے،

"ہاں بھئی، اب تم بتاو کیا معاملہ ہے؟"

□□□

خبیث عورت

اس کے پاوں دودھ کی طرح گورے اور ملائی کی طرح ملائم تھے۔ بھرے بھرے، رس ملائی جیسے۔ وہ روزانہ رات کو کریمیں لگا کر انہیں مزید ملائم کیا کرتی۔ اس پر ہمیشہ نیل پالش سے آویزاں اور پازیبوں سے میزّن۔ دیکھتے ہی جی چاہتا کہ لمس ہاتھ پر اور ذائقہ زبان میں لیا جائے۔ خدا جب حسن دیتا ہے نزاکت آ ہی جاتی ہے والا محاورہ اس پر صادق آتا تھا۔

جب شلوار پہنتی تو الف لیلہ کی مرجینا کے ڈیزائن کی جس میں چلتے پھرتے اٹھتے بیٹھتے شیشے جیسی شفاف پنڈلیاں نیم عریاں ہو کر بجلیاں گراتی رہتیں۔ اور اگر تنگ پائجامہ پہنتی تو ایسا چست کہ گول ران اور مڈول کولہے کا ستاری زاویہ جگہ جگہ گیت چھیڑنے لگتا۔ کرتی اتنی تنگ کہ گداز سینہ اس کی بل کھاتی نازک کمر سے آدھا قدم آگے چلتا دکھائی دیتا۔ مردوں میں البتہ سب گھر کی عورتوں کی طرح پورے جسم پر

دوپٹہ لپیٹ کر رکھتی۔ ہاتھ، گردن، رخسار، ہونٹ، آنکھیں، بال۔ ہر چیز قیامت کی غماز تھی۔ وینا ایک حسین، ہنس مکھ اور زندگی سے بھرپور الہڑ دوشیزہ تھی۔

سترہ کے سن تک پہنچتے پہنچتے وینا نے جتنے خواب دیکھ لئے تھے تقریباً اتنے ہی اسے دیکھائے بھی جا چکے تھے۔ اس بات کا اسے خوب اندازہ ہو چکا تھا کہ وہ خوبصورتی اور نسوانیت کا ایک حسین امتزاج ہے۔ متوسط طبقے میں خوبصورت بیٹی کا پیدا ہونا بھی غریب کے ہاتھ لعل لگنے کے مترادف ہوتا ہے۔ گھر کی عورتیں اسے دیکھتے ہی شادی کا راگ چھیڑ دیا کرتیں۔

"یہ تو محلوں میں رہنے کے لائق ہے" ایک کہتی۔

"اسے تو کوئی شہزادہ ہی لے کر جائے گا" دوسری کہتی۔

"یہ تو جس گھر میں جائے گی اجالا کر دے گی" تیسری کہتی "ہماری بیٹی کے تو ناز اٹھاتے نہیں تھکیں گے اس کے سسرال والے"۔ اور وینا ہواوں میں اڑنے لگتی۔ دن میں بھی محلوں اور شہزادوں ہی کے خواب دیکھا کرتی۔

جب گھر کی اکلوتی گاڑی میں سارے خاندان کے ساتھ پھنسی پھنسی بیٹھ کر وہ انارکلی بازار جاتی تو اسے اپنے اوپر ملال سے زیادہ اپنے گھر والوں پر ترس آیا کرتا۔ وہ سارا رستہ خوابوں میں اپنے آپ کو اپنے حسین اور خوبرو شوہر کے پہلو میں بیٹھی ایک بڑی سی نئی نکور گاڑی میں جاتی دیکھا کرتی۔ اپنے بی-اے پاس بینک اوفیسر باپ کو وہ حقیر تو نہیں البتہ سادہ لوح اور بدقسمت ضرور سمجھتی تھی۔

ایک روز وہ کولج سے گھر آنے کے لئے بس سٹوپ کی طرف جا رہی تھی کہ پیچھے سے ثانیہ نے آواز دی۔ دونوں سہیلیاں اکٹھی چلنے لگیں۔

"تم نے باز نہیں آنا اپنی حرکتوں سے؟" وینا نے غصّے۔ پوچھا۔

"ہائے کیا کروں یار" ثانیہ نے اپنا بستہ لہراتے ہوئے ایک ٹھنڈی آہ بھری "میرا دل آگیا ہے اپنے ٹونی پرنس پر"۔

"ہونہہ، موٹر سائیکل والا پھٹیچر پرنس" وینا نے حقارت سے کہا۔

"ہائے میری جان تجھے کیا پتہ جب وہ اپنے فولادی ہاتھوں سے جگہ جگہ ہاتھ بھر بھر کہ چٹکیاں لیتا ہے تو سارے بدن میں کیسی میٹھی میٹھی درد ہوتی ہے۔" ثانیہ نے کھکھلا کر دوہری ہوتے ہوئے کہا۔

"اری الّو سختی تو محل میں بھی ویسی ہی ہوتی ہے جیسی جھونپڑی میں، مگر مخمل میں لپٹے فولاد کا اپنا ہی مزا ہے" وینا نے شرارت سے ہنستے ہوئے ثانیہ کے کندھے پر ہاتھ مارا اور دونوں ہمجولیاں ہنستے کھیلتے اپنے اپنے مستقبل کے خوابوں میں گُم بس سٹوپ پر پہنچ کر اپنی اپنی بس کا انتظار کرنے لگیں۔

دوسال بعد ہی وینا کا کولج چھڑوا دیا گیا اور اُس کا اکیلے گھر سے باہر نکلنا بند ہو گیا۔ سردیاں شروع ہو چکی تھیں۔ وینا سے ہر گھڑی اُبٹن کی بھینی بھینی مہک آنے لگی۔ شادی کی تاریخ قریب تھی اور گھر میں مہمانوں کی بھیڑ تھی۔ رونق میں وینا کا احتجاج بھی گُم ہو گیا۔ کام والے کپڑے، نئے نئے گہنے اور جہیز کا سامان۔ شادی کی چمک دمک

نے محلوں کے شہزادے کے خواب میں موبائلوں کی دکان والے عرفان کو فٹ کر ہی دیا۔

عرفان کو وینا بہت پسند آئی۔ وہ حسین بھی تھی اور بھرپور جوان بھی۔ اب دکان پر اس کے دن بے صبری سے کٹنے لگے۔ وینا کے انتظار میں۔ اور رات کے انتظار میں۔ چند سال وینا کے بھی اچھے گزر گئے۔ نئے نئے زیور کپڑے، نیا نیا گرم بستر، نئے نئے رشتے اور پھر نئے نئے بچے۔ عرفان کی تھوڑی کمائی، عرفان کی کنجوسی، عرفان کے ہمہ وقت موجود رشتہ دار اور عرفان کے دوست۔ کچھ سال تو قابلِ برداشت رہے مگر آہستہ آہستہ چُبھنے لگے۔

چودھویں پاس کرنے سے پہلے ہی وینا کی شادی ہو گئی تھی۔ عرفان نے مگر بارھویں بھی پاس نہ کی تھی۔ اس کا باپ کاغذ کا ایک چھوٹا سا بیوپاری اور چِٹّا اَن پڑھ تھا۔ عرفان کا دسویں پاس کر کے کولج پہنچ جانا اور چھوٹی سی ہی سہی مگر اپنی دکان ڈال لینا اُسے اپنے خاندان میں ایک ممتاز مقام دلوا چکا تھا۔ رشتے داروں میں وہ رشک کی نگاہ سے دیکھا جاتا تھا۔

عرفان کو وینا پسند تو آئی تھی مگر اس پسند کا محور یا تو وینا کی جوانی کے زِیر و بَم تھے یا پھر فتح کا یہ احساس کہ اپنی معاشی کامیابی کے بل پر وہ اپنے سے زیادہ امیر اور پڑھے لکھے گھرانے کی لڑکی بیاہ لایا تھا۔ دونوں ہی باتوں پر خاندان میں اُس کی بڑی واہ واہ ہوتی اور فخر سے اُس کا سینہ پھول جاتا۔ پہلے چند ماہ تو وہ وینا کے جسم کی سیاحت میں

کھویا رہا۔ جب اِس سرزمین سے اچھی طرح مانوس ہو گیا اور وینا کے بدن کی کوئی بھی چٹان، میدان اور کھائی پہلے جیسی ولولہ انگیز نہ رہی تو اُس پر فتح کا عنصر غالب آنے لگا۔ رات جب اُس کا جی چاہتا وہ وینا کو جگا دیتا۔ دن میں اُس سے بلاوجہ ناشتے میں ہریسے، پوریاں اور پراٹھے وغیرہ بنوا کر کھاتا، محض اِس لئے کہ وینا کو صبح صُبح اُٹھ کر عرفان کے لئے ہانڈی روٹی کرنی پڑے۔ کھانے میں بھی مشکل مشکل پکوانوں کی فرمائشیں کرتا اور وینا کو مجبور کرتا کہ وہ کھانا اُس کے ساتھ بیٹھ کر کھانے کے بجائے اُسے ساتھ ساتھ تازہ روٹی پکا کر دے۔ آئے دِن اپنے دوستوں کو بھی گھر بلا لیا کرتا۔ نہ صرف اِس لئے کہ وینا کو اُن کے لئے بھی کھانا پکانا پڑے بلکہ اِس لئے بھی کہ وہ دوستوں کے ساتھ بیٹھ کر گپیں مارا کرے اور وینا رات دیر تک اُس کا انتظار کیا کرے۔ اِن سب باتوں سے عرفان کو بڑا سکون ملتا۔ یہ کہنا تو مشکل ہے کہ عرفان کو وینا سے پیار ہو گیا تھا مگر وہ اُس سے ناخوش بھی نہ تھا۔ اُس نے وینا پر تقریباً کبھی ہاتھ نہ اُٹھایا تھا۔ کبھی کبھار جب وہ بہت زیادہ ہی بدزبانی پر اُتر آتی تو مجبوراً دو ایک لگا دیا کرتا۔ بچے بھی ماشااللہ دو بیٹے تھے، پیارے اور صحت مند۔ کاروبار بھی مناسب چل رہا تھا۔ عرفان زندگی سے مطمئن تھا۔

جینز اور بلاؤز پہن کر باہر جانے کی اجازت وینا کو شادی سے پہلے بھی کبھی نہ ملی تھی مگر شلوار قمیض میں کسی بھی قسم کے فیشن پر کبھی کوئی پابندی نہ لگی تھی۔ دوپٹہ لینا ضروری تھا مگر نہ تو اِس کی لمبائی چوڑائی کی کوئی قید تھی نہ چادر لینے کی مجبوری۔ سُسرال میں البتہ سختیاں زیادہ تھیں۔ عرفان دکان میں بیٹھا اپنے دوستوں کے ساتھ بازار میں آنے جانے والی ہر خاتون پر بے لاگ تبصرے کیا کرتا۔ کِس عورت کے

پُستان کتنے بڑے ہیں، وہ کون سے سائز کی بُراَ پہنتی ہو گی۔ یہ پستان کتنے کَسّے ہوئے یا ڈھلکے ہوں گے، ان تمام معاملات پر عورت دیکھتے ہی تبصرے شروع ہو جاتے اور شرطیں تک بدلی جاتیں۔ کون سی عورت کولہے کتنے مٹکاتی ہے اور اِس مٹکا مٹکی سے اُس کے سونے کی کن عادات کا پتا ملتا ہے اِس پر بھی سیر حاصل گفتگو ہوا کرتی۔ اِس کے علاوہ کمر کے ناپ سے اندامِ نہانی کی پکڑ کا اندازہ کرنا اور ہونٹوں کی بناوٹ اور موٹائی سے اُن کے رسیلے پَن پر روشنی ڈالنا بھی روز کا معمول تھا۔ چونکہ ان تمام تبصروں میں عرفان خود بھی پیش پیش ہوتا، لہٰذا اُسے اچھی طرح علم تھا کہ بازار میں آئی عورت کسی کی ماں، بہن، بیٹی یا بیوی ہو ہی نا سکتی تھی۔ بازار کے باسیوں کے لئے بازار میں آئی عورت ایک بازاری عورت ہوتی تھی اور رنگ، نسل اور عُمر کی قید کے بغیر اِن بازاری عورتوں پر ننگے تبصرے کرنا بازار کی رِیت تھی۔ چنانچہ عرفان اِس بات کا سخت مخالف تھا کہ وینا کہیں بھی باہر آئے جائے۔ اور اگر کہیں جانا ناگزیر ہی ہو تو کالے رنگ کے موٹے کپڑے کے عبایا کے بغیر گھر سے باہر قدم رکھنے کا سوال ہی نہ پیدا ہوتا تھا۔

بازار میں تو خیر وینا کا بھی جا کر اکثر دَم ہی گُھٹتا۔ اپنے گھروں میں بہن، بیٹیوں والے شریف لوگ بازار میں ایسی گندی بھوکی نظروں سے وینا کے عبایا سے ڈھکے بدن کو گھورتے، اُن اُن حصّوں کو گھورتے، اور مسلسل ایسے گھورے جاتے کہ اُسے متلی سی ہونے لگتی۔ مگر کچھ جگہوں پر وہ اپنے الھڑ پن کی تسکین کر پاتی۔ مثلاً بچوں کے سکول میں کچھ آدمی ایسے تھے جو بڑی بڑی گاڑیوں میں اپنے بچوں کو لینے آتے اور وینا یا کسی بھی عورت کو نہ گھورتے۔ ہاں البتہ جب کوئی ماں کسی بہانے سے اپنے حسن کی

جھلک دکھاتی تو کن اَکھیوں سے ضرور دیکھتے۔ ایسے ہی کچھ باپوں کو وینا نے تاڑ رکھا تھا۔ جو جوان بھی تھے، حسین بھی اور امیر بھی۔ اکثر ایسا ہوتا کہ جس وقت وینا اپنے بچوں کو سکول لینے جاتی تو اُن میں سے بھی کوئی آیا ہوتا۔ اور وینا صرف اور صرف یہ معلوم کرنے کے لئے کہ آیا کہ اُس کے حسن میں مردوں کو رِجھانے کی کَشِش ابھی باقی ہے یا نہیں، کبھی اپنا سکارف اُتار کر بال باندھنا شروع کر دیتی، کبھی عبایا کے بٹن کھول بند کر کہ اپنے سینے کے اُبھاروں کے نظارے کا موقع فراہم کرتی تو کبھی عبایا کہ نچلے سِروں کو زمین سے بچانے کہ بہانے اپنی گوری گوری گودا بھری پنڈلیوں کے کچھ حصوں کا نظارہ کروا دیا کرتی۔ اور ہر بار اِس احساس سے اُس کا دِل خوشی سے جھوم اُٹھتا کہ اب بھی وہ جس مَرد کو چاہے اپنے اِشاروں پر نچا سکتی تھی۔ اپنے نسوانی حسن اور پُر کشش کَسے ہوئے جسم کے بارے میں اُس کے اندازے بالکل سہی تھے۔ پھر اُسے عرفان جیسے واجبی شکل وصورت، کم پڑھے لکھے اور سفید پوش آدمی کے پلّے کیوں باندھ دیا گیا تھا؟ جوں جوں وقت گزرتا جا رہا تھا اور بچے بڑے ہو رہے تھے، وینا کے اندر ایک احساسِ محرومی جڑ پکڑ تا جا رہا تھا۔

وینا کے والد اُس کی شادی عرفان سے کر کہ بہت خوش تھے۔ شریف تو تھے، لیکن جہاندیدہ آدمی تھے۔ جانتے تھے کہ اس معاشرے میں عورت کے جسم کی خوبصورتی کا مول لوگ صرف اُس وقت لگاتے ہیں جب یہ جسم بازار میں بکنے آتا ہے۔ شخصیت عورت کی بھی ہوتی ہے، اس معاشرے میں یہ ایک انہونی سی بات ہے۔ اور جو عورت اپنے خاوند کی پوری طرح سے وفادار اور وفا شعار نہ ہو وہ بازارُو عورت ہوتی

ہے چنانچہ وفاداری ایک شرطِ لازم ہے کوئی خوبی نہیں۔ لہٰذا لڑکی کی شادی کا دارومدار اُس کے باپ کی معاشی حیثیت پر ہی ہوتا ہے۔ اپنی اوقات کے بارے میں وینا کے والد کو کوئی خوش فہمی نہ تھی۔ چنانچہ جِن چند گھروں میں رشتہ کی بات ذرا آگے بڑھی اُس میں سب سے بہتر جوڑ اُنہیں عرفان کا ہی لگا۔

ایک دن سکول کے باہر وینا کو ثانیہ مل گئی۔

"اری وینا یہ تو ہے؟" اسے اپنے پیچھے سے ایک کراری آواز آئی۔

مڑ کر دیکھا تو ثانیہ تھی۔ ایک گاڑی کی ڈرائیونگ سیٹ پر بیٹھی جوش و خروش سے اسے ہاتھ ہلا ہلا کر بلا رہی تھی۔ وینا بھی کِھل اٹھی۔ کولج کی ساری یادیں عود آئیں اور رنگین خوابوں سے میزّن بے فکری کی زندگی نظروں کے سامنے ناچنے لگی۔ جب تک وینا گاڑی تک پہنچی پیچھے سے ہارن بجنے شروع ہو گئے تھے۔ وہ اُچک کر گاڑی میں جا بیٹھی۔

"واہ جی، پھٹیچر پرنس نے گاڑی لے لی؟" وینا نے ہنستے ہوئے اسے چھیڑا۔

"جی نہیں یہ میری ہے" ثانیہ نے گاڑی سڑک کے کنارے لگاتے ہوئے کہا۔

"دو دو گاڑیاں؟ واہ" وینا نے کسی نرتکی کی طرح ہاتھ نچاتے ہوئے تعریف کی۔

"جی نہیں۔ اس پھٹیچر پرنس سے میں نے جان چھڑالی۔ کمبخت نری ٹنشن ہی تھا۔" گاڑی پارک کر کہ ثانیہ تھوڑا سامڑ کر وینا سے باتیں کرنے لگی۔

"طلاق؟ چچ چچ چچ۔" وینا نے افسوس کا اظہار کیا۔

"طلاق نہیں خلع۔ میں نے چھٹی کروادی سالے کی" ثانیہ نے ہنس کر کہا۔

"کیا؟ کیا ہوا؟ تیری تو اتنی فلمی شادی تھی۔ پیار، محبت، عشق۔ پھر یہ سب کیسے ہوا؟" وینا نے پریشان ہو کر کہا۔

پھر ثانیہ نے اسے اپنی کہانی سنائی کہ اس کا پڑھائی میں زیادہ جی تو نہیں لگتا تھا مگر چوں کہ ٹونی پرنس سے اس کی شادی نہ ہو رہی تھی لہٰذا وہ پڑھتی رہی اور اسی طرح معاشیات میں ایم۔اے کر گئی۔ پھر آخر کار اس کی شادی ٹونی پرنس سے ہو ہی گئی۔ ایک بیٹا بھی ہو گیا۔ مگر شادی اچھی طرح نہ چل رہی تھی۔ ٹونی کوئی خاص کام بھی نہ کرتا تھا اور اسے مارتا پیٹتا بھی تھا۔ تھا بھی صرف میٹرک۔ شادی کے چند ہی سالوں میں ثانیہ کو اندازہ ہو گیا کہ جوانی کے جوش میں اس نے ٹونی کو اپنے خوابوں کا شہزادہ بنا تو لیا تھا مگر ان دونوں کی طبعیتیں کسی طرح نہ ملتی تھی۔ ایک روز ٹونی نے اسے مار پیٹ کر گھر سے نکال دیا۔ غصے میں آ کر ثانیہ نے نوکری کر لی۔ اور پھر اس کی آنکھیں کھل گئیں۔ کمپنی ملٹی نیشنل تھی۔ کام کیا تو ثانیہ کو مزہ آنے لگا۔ کچھ ہی مہینوں میں کمپنی نے اسے گاڑی بھی دے دی۔ پیسے بھی آنے لگے، گاڑی بھی مل گئی، کام میں بھی قدر شناسی ہو رہی تھی۔ ثانیہ کے لئے زندگی غبارے کی طرح پھولتی گئی اور ٹونی سے

صلح کے امکانات معدوم ہوتے گئے۔ نئے نئے لوگوں سے ملاقات ہوئی تو معلوم ہوا کہ مرد بڑے پڑھے لکھے اور مہذب بھی ہوتے ہیں۔ پھر جب تک وہ اتنی ترقی کر گئی کہ کمپنی کے وظیفہ پر امریکہ سے کورس کر آئی تو آتے ہی اس نے ٹونی سے خلع لے لیا۔ اور اب کمپنی اسے علیحدہ فلیٹ بھی لے کر دے رہی تھی۔ ثانیہ اپنی زندگی سے بہت خوش تھی۔

بچوں کو لے کر جب وینا گھر جانے کے لئے رکشے پر بیٹھی تو اس کی نظروں میں کولج اور کمپنی والی دو ثانیہ ناچ رہیں تھیں۔ بچوں کو کپڑے بدلنے بھیج کر وینا باورچی خانے سے کھانا لانے گئی تو دیگچی دیکھتے ہی سمجھ گئی کہ اس کی نند نے پھر کھانے میں سے بوٹیاں نکال لیں ہیں۔ اس نے اسی لئے دیگچی کا ڈھکنا ایک خاص انداز سے رکھا تھا جو کہ صاف ہلا ہوا نظر آرہا تھا۔ اس نے بوٹیاں گنیں تو شک یقین میں بدل گیا۔

آج اس حرامزادی کی خیر نہیں، وینا نے سوچا۔ عرفان کو آنے دو۔ آج تو میں اس سارے خاندان کی ماں بہن ایک کر دوں گی۔ مارتا ہے تو مارے۔ آج نہیں چھوڑوں گی !

□□□

بے غیرت کا بچہ

احسن اپنے کمرے میں بیٹھا مرنڈا کی چسکیاں لیتے ہوئے فیس بک پر مصروف تھا۔ ایک دوست نے گند الطیفہ بِما گندی تصویر شائع کیا تھا جس کا چسکا ابھی جاری تھا کہ اگلی پوسٹ میں دوسرے دوست کی پوسٹ سامنے آگئی جس میں اس نے خانہ کعبہ کی بے حد عمدہ تصویر کی اشاعت کر رکھی تھی۔ احسن نے جلدی سے اسلامی تصویر پسند کر کہ پروفائل آگے کیا۔ پھر اُس کو وہ عریاں تصویر والا فحش لطیفہ یاد آیا اور اُس کو اپنی ٹانگوں کے بیچ گدگدی کرتی کمزوری سی محسوس ہوئی۔ احسن نے فیس بک پروفائل واپس گھمایا اور کعبہ کی تصویر پار کر کہ واپس عُریاں پوسٹ پر جا پہنچا۔ اُس کا کون کون سا دوست اسے دیکھ کر کیسے کیسے قہقہے مارے گا، یہ سوچتے ہوئے احسن نے اپنے مختلف دوستوں کو ٹیگ کرنا شروع کیا۔

اتنے میں اُس کے فون کی گھنٹی بجی۔ رضا تھا۔ ہیلو کرتے ہی کراری آواز آئی

"کیا کر رہا ہے بھین چود"؟

قہقہہ مار کر احسن بولا "ابے مادر چود اپنی فیس بک چیک کر، قسم سے کیا پٹّو بچّی ہے اور کس ظالم پوز میں۔ رانیں چیک کر بھین چود کی، مکھن کے پیڑے ہیں قسم سے"۔

"اچھا؟ ابے سالے کبھی لائیو پیس بھی چیک کرا کہ تصویروں پر ہی ٹرخاتا رہے گا"؟ رضا نے کراری آواز نکالی۔ "کتے مجھے ٹیگ کیا ہے کہ نہیں"؟

"ہاں ہاں کیا ہے سالے، ساتھ میں تیرے سارے سُسرال کو بھی کیا ہے"۔ احسن نے پھر قہقہہ لگایا۔ "یہ بتا تیرا بھائی نیویورک پہنچ گیا"؟

"ہاں یار، ابھی ابھی واٹس ایپ میسج آیا ہے۔ شکر ہے خدا کا فلائٹ وقت پر پہنچ گئی، کل سے اُس کی کلاسیں شروع ہیں اور تُجھے تو پتا ہے یہ گوروں کی یونیورسٹیاں کتنی سخت ہوتی ہیں، گوریوں کے سینوں کی طرح"۔ رضا نے پھر قہقہہ مارا۔

"اچھا بکواس بند کر" احسن نے گوریوں کے بیک وقت کھنچے اور اُبھرے ہوئے پستانوں کا تصور کرتے ہوئے چسکا لیا "تو نے آنا مرنا ہے یا میں سو جاؤں؟ تجھے پتا ہے ابّو منسٹر سے ملنے لاہور آئے ہوئے ہیں، میں رات بھر باہر نہیں رہ سکتا"۔

"کُتّے سالے پتا ہے تیرا باپ بڑا افسر لگا ہے، اگلی دفعہ میں بھی سی ایس ایس کلئیر کر لوں پھر دیکھیں کیسے بچیاں میرے پیچھے پیچھے ہوں گی۔ ہائے کیا چکنی بچی ہے سالے۔ مِس کر دی تو نے۔ اب باہر بھی مر، گاڑی تیرے گیٹ پہ پونڈی کر رہی ہے"۔ رضا نے احسن کے ساتھ والے گھر میں داخل ہوتی جوان عورت کے مٹکتے

ہوئے کولہوں کو گھورتے ہوئے گاڑی گیٹ پر روک دی۔ عورت ویسے ہی متناسب جسم کی مالک تھی اُوپر سے چھوٹا بچہ گود میں اُٹھا رکھا تھا جس سے چال میں مزید جھول آگیا تھا۔ رضا کو احسن کے آتے آتے دو تین بار اپنے عضوِ تناسل کا پوز ٹھیک کرنا پڑ گیا۔

گاڑی میں بیٹھتے ہی احسن نے رضا کو ایک زوردار دھپ رسید کیا۔ "اب بتا کیا کھائے گا"؟

"تجھے کہا تھا آج میں نے ہیرا منڈی کا تو اچکن کھانا ہے"۔ رضا بولا۔

"اچھا حرامی، چل آج تجھے ہیرا منڈی کے مزے کراؤں"۔ احسن شرارت سے بولا۔

"آیا بڑا ہیرا منڈی کا دلّا، مزے کرائے گا"۔ رضا نے قہقہ لگایا اور احسن کی ران پر زور سے ہاتھ مار کر گاڑی ڈرفٹ مار کر ہیرا منڈی کی طرف اُڑا دی۔

لاہوریوں کے کھانے کا وقت ابھی بھی چل رہا تھا لہٰذا نہر پر اب بھی رونق تھی۔ مال روڈ سے ہوتے جب یہ دونوں ڈَن ہِل سُوئچ کے سُوٹے مارتے اور رَیڈ بُل کے کَین سے گھونٹ بھرتے ہیرا منڈی پہنچے تو آدھی رات کا دور دورہ تھا۔ ہیرا منڈی میں البتہ کھابے کھانے والوں کا رَش تھا۔ اُنہوں نے تو اچکن، آلو ٹِکّی اور بوتلوں کا آڈر دیا۔ رَش کی وجہ سے گاڑی البتہ ایک پتلی اور نسبتاً اندھیری گلی میں لگانی پڑی۔ کھانا آنے تک وہ اپنی یونیورسٹی کی لڑکیوں اور محلّہ داریوں کے جسموں کے خدوخال پر بے لاگ تبصرے کرتے اور اِس دوران بار بار ٹانگوں کے بیچ اپنی خصیہ دانیاں کُھجاتے رہے۔

رَیڈبُل کے ٹِین کے چھوٹے چھوٹے کنستر تو ختم ہو چکے تھے مگر سگریٹ بہت تھے۔ رَش کافی تھا چنانچہ کھانا آتے آتے کوئی پونا گھنٹہ لگ گیا۔ اِس دوران سگریٹ پہ سگریٹ اور ایک پہ دوسرا گند الطیفہ چلا۔

ایک تو کھانا دیر سے آیا تھا اُوپر سے تھا اِتنا مزیدار۔ دونوں نے ہی بھُوک سے کافی زیادہ کھالیا۔ کھاپی کر اور بِل ادا کر کہ دونوں کو احساس ہوا کہ طبیعت بہت بوجھل ہو چلی ہے۔ لہٰذا طے یہ پایا کہ سامنے کھوکھے سے ایک ایک اور بوتل پی جائے۔ کھوکھے پر بوتل کھُلی تو ایک ایک پان کی گلوری بھی گال میں دبالی گئی۔ ساتھ میں ایک ایک اور سگریٹ سُلگ گیا۔ رات کے دو بجا چاہتے تھے۔ رش چھَٹ چُکا تھا، بس اِکاّ دُکاّ لوگ رہ گئے تھے۔

باتیں کرتے کرتے وہ اندھیری گلی میں کھڑی اپنی گاڑی کے پاس آ کھڑے ہوے۔ اِس وقت موضوعِ سخن یہ تھا کہ اُن کی اسلامیات کی ٹیچر کیا اپنے خاوند سے صُحبت صرف سیدھی لیٹ کر ہی کرتی ہوں گی یا پھر کسی دوسری حالت میں بھی ہم بستری پر مان جاتی ہوں گی؟ بحث اتنے دلچسپ پیچ و خم سے مزیّن تھی کہ دونوں نے گاڑی سے ٹیک لگا کر ایک ایک اور سگریٹ سُلگا لیا۔

ابھی یہ سگریٹ ختم ہوئے تھے نہ بحث کہ ایک چھوٹے قد کا کالا سیاہ آدمی لنگڑاتا ہوا اُن کے پاس آ کھڑا ہوا۔ پاس آنے پر اُنہوں نے دیکھا کہ اُس کی شلوار قمیض نہایت گندی اور دو ایک جگہ سے پھٹی ہوئی تھی۔ اُس کے کندھے پر پڑا رنگین دھاری

دار پَرنا البتہ شفاف دکھائی دیتا تھا۔ انہیں کچھ گھِن سی آئی۔ کوئی عام وقت ہوتا تو وہ اِس گندے آدمی کو نظر انداز کر کہ اپنی باتیں کرتے رہتے۔ مگر ایک تو آدھی رات کا وقت اُوپر سے ہیرا منڈی کی اندھیری گلی۔ لاشعوری طور پر دونوں چُپ کر کے ٹکر ٹکر گندے آدمی کو دیکھنے لگے۔

"مال چاہیئے بابو"؟ گندے آدمی نے پوچھا۔

اوہ تو یہ سچ ہے۔ دونوں نے سوچا۔ تو یہ محض کہانیاں نہ تھیں۔ یہ گندا ٹھِگنا آدمی واقعی طوائفوں کا دلّال تھا اور جس مال کا وہ ذکر کر رہا تھا وہ رنڈیاں تھیں۔ دونوں کے دل ایک ساتھ اتنے زور سے دھڑکے کہ اُنہیں لگا دلال نے اُن کے دلوں کی دھڑکنیں سُن لیں ہوں گی۔ مگر یہ اُن کا خام خیال ہی تھا۔ دلال اُنہیں رِجھانے کے لیئے بتا رہا تھا کہ اُس کی لڑکیاں بہت کم عُمر بھی تھیں اور کم قیمت بھی۔ اور یہ کہ وہ ہر کسی کو گاہک نہیں بناتیں اِس لیئے وہ دونوں بہت خوش قسمت تھے جو انہیں یہ نعمت میّسر آ رہی تھی۔ مزید یہ کہ اُس کے حالات بہت خراب تھے اگر وہ دونوں لڑکے اُس کا مال اٹھالیں تو اُس کی بھی کچھ روزی روٹی چل جائے گی۔

دونوں کو لگا کہ اُن کے دماغ سُن ہو چکے ہیں۔ نا اُن سے ہاں ہو رہی تھی نہ نا۔ مگر جب دلال نے گھگیانہ شروع کیا تو دونوں کو حوصلہ ہوا۔ اور اُن کے اندر کا شجاع مرد بیدار ہو گیا۔ ایک دوسرے کو جھجھکتے ہوئے دیکھا اور ایک ایک اور سگریٹ سلگا لیا۔ سگریٹ سلگتے ہی دلال اپنے وسیع تجربے کی بنا پر سمجھ گیا کہ شکار دام میں آنے کے لیئے پر تول رہا ہے۔ اُس نے بڑھ چڑھ کر اپنے مال کی خوبیاں بیان کرنا شروع کر دیں۔ کبھی

اُتلے دھڑ کے نقشے کھینچتا کبھی نچلے دھڑ کے گُن گاتا۔ سگریٹ کے ختم ہوتے ہوتے دونوں شکار دام میں آنے کے لئیے پوری طرح تیار ہو چکے تھے۔

طے یہ ہوا کہ دام کا فیصلہ مال کی عُمر اور خدوخال دیکھ کر کیا جائے گا۔

دلال کے پیچھے چلتے ہوئے وہ قریب ہی ایک مزید تنگ اور مزید اندھیری گلی میں داخل ہوئے۔ ایک مکمل تعمیر شدہ سے کم مگر زیرِ تعمیر سے زیادہ تعمیر شدہ عمارت کے سامنے جا پہنچے۔ تیسری منزل پر ایک چھوٹا سا برقی قمقمہ جل رہا تھا جس کی بہت زیادہ ناکافی روشنی میں سیڑھیاں خاصی خطرناک لگ رہی تھیں۔ یہاں پہنچ کر پہلی بار دونوں گاہکوں کو احساس ہوا کہ اگر اِس وقت یہ دلال پستول یا صرف چاقو ہی نکال لے یا اِس کا کوئی ساتھی ہتھیار لے کر آ جائے تو اِنہیں لوٹنا بہت آسان تھا۔ تو کیا یہ ایک جال تھا؟ محض انہیں لوٹنے کے لئے؟ ہیرا منڈی میں کوئی انسانی ہیرے نہیں ہوتے؟ وہ سب واقعی کہانیاں تھیں؟ اب انھیں واقعی لوُٹ لیا جائے گا؟ وہ گھر کیا بتائیں گے؟ مگر اب دیر ہو چکی تھی۔

وہ ہمت کر کہ دلال کے پیچھے پیچھے نیم اندھیری سیڑھیاں چڑھ گئے۔ ایک کمرے میں جا پہنچے۔ چھوٹا، گندہ، گھٹن زدہ۔ غلیظ رضائیوں میں تین جسم خراٹے مار رہے تھے۔ دو پلنگ پر اور ایک نیچے پھٹے ہوئے قالین پر۔

"اُٹھ کنجری"۔ دلال نے نچلے جسم کو پاؤں سے ٹھوکر ماری۔ دلائی کے نیچے ایک نسوانی بدن کسمسایا۔ ایک دو اور ذرا اُنچی آواز میں "دابے" مارنے پر تینوں مال جماعیاں لیتے ہوئے اُٹھ بیٹھے۔ یہ تینوں عورتیں کئی کئی بچوں کی مائیں، موٹے اور

بھدے بدن کی مالکائیں اور خاصی بد صورت تھیں۔ دونوں گاہک جن کے دِل عمارت کی سیڑھیاں دیکھ کر ہی خراب ہو رہے تھے، تجوری اور اُس میں محفوظ مال دیکھ کر بلکل ہی بدک گئے۔

"ابے دلّے، یہ ہے تیرا مال؟ یہ رنڈیاں ہیں؟ ان سے اچھی تو ہمارے گھر میں جمعدارنیاں ہیں۔ تو نے سمجھا کیا ہے ہمیں؟ ہم تجھے اِن گندی عورتوں سے کرنے والے لگتے ہیں۔ ان کو تو ہم مفت میں بھی نہ چودیں۔ آخ تھو۔ مجھے تو سوچ کر ہی گِھن آرہی ہے"۔

"نہیں صاحب، یہ اتنی بُری نہیں ہیں۔ بتّی کم ہے۔ ابھی اِن کا مُنہ دھلاتا ہوں صاحب آپ کو پسند آئیں گی۔ اور دیکھاتا ہوں صاب، اور بھی ہیں۔ یہ دیکھیں صاب اس کا سینہ تو دیکھیں صاحب۔ ابھی کپڑے اتارے گی تو پھر اِس کی اُٹھان دیکھنا صاب۔ چل حرامزادی قمیض اُتار کے دِکھا صاب کو۔ یہ نخرا بالکل نہیں کرتی صاب۔ جو کہو گے کرے گی صاب۔ صاب۔ صاحب"۔

مگر دونوں صاحب باہر نکل گئے اور سیدھے گاڑی میں بیٹھ کر یہ جاوہ جا۔

ذرا آگے جا کر دونوں کو سانس آیا۔ ایک ایک اور سگریٹ سلگ اُٹھا۔ "کتنی گندی عورتیں تھیں یار۔ مجھے تو قے ہی ہونے لگی تھی"۔ آخر کار رضا بولا۔

"ہاں یار، اور کتنی بد صورت بھی"۔ احسن بولا۔ "وہ حرامزادہ ہمیں کہاں پھنسانے لگا تھا۔ ایسی عورتوں سے تو بیماریاں لگ جاتی ہیں۔ تخ"۔

"ہاں تو اور کیا؟ اور دیکھو تو کیسی بے غیرت تھیں۔ وہ دلا اُن کے سینوں اور جسموں کی غیر مردوں کے سامنے تعریفیں کر رہا تھا اور وہ مزے سے بیٹھی تھیں۔ ذرا شرم نہیں تھی اُن کو"۔ رضا بولا۔

"شرم؟ ابے سالے وہ تو تجھے اپنے پُستان نکال کر دکھانے لگی تھی۔ حرامی چیک ہی کر لیتا"۔ احسن نے قہقہ لگا کر کہا۔

"ارے دفع کر یار۔ اِتنی گندی عورتیں اور اُوپر سے ایسا دو نمبر دلال۔ لعنت بھیجتا ہوں میں ان پر"۔ رضا کا مُوڈ ٹھیک ہونے میں ہی نہیں آ رہا تھا۔

"واقعی یار۔ یہ اِن کا دلال تو بہت ہی حرامی تھا۔ یہ رنڈیاں اِسی کی وجہ سے ماری جائیں گی۔ اُس کتے کے بچے کا بس چلتا تو اُن گشتیوں کے ساتھ ساتھ ہمیں بھی وہیں ننگا کر کہ اُن پہ چڑھا دیتا اور اپنے پیسے کھرے کرتا"۔ احسن نے پھر چسکے لیتے ہوئے کہا۔ مگر وہ دیکھ رہا تھا کہ رضا کا مُوڈ اب بھی خراب تھا۔

رضا نے گاڑی کے شیشے سے تھوک پھینکی اور کڑوے لہجے میں بولا "سالا دلّا حرامی۔ بے غیرت کا بچہ"۔

□□□

ہونہار بیٹا

اشتہار میں ایک معصوم سی شکل والا بچہ چوکلیٹ کھا رہا تھا اور ساتھ ہی ساتھ زور دار انداز سے مسکرا بھی رہا تھا۔

معصوم سی شکل والا میں نے اس لئے کہہ دیا ہے کہ تمام بچے معصوم شکل کے نہیں ہوتے۔ حقیقت میں کئی بچے بڑی پختہ شکل کے ہوتے ہیں۔ ایسے معلوم ہوتا ہے گویا ایک بڑے سے آدمی کو اُبال کر چھوٹا کر دیا گیا ہو۔ جیسا کہ میں نے کسی ناول میں پڑھا تھا کہ کئی افریقی قبائل اپنے دشمنوں کو مارنے کے بعد ان کے سر کاٹ کر انہیں اُبال اُبال کر سکیڑ لیتے ہیں اور پھر اپنے گھروں میں ٹرافیوں کی طرح سجا رکھتے ہیں۔

اسی طرح کئی لوگ حالات میں اُبل اُبل کر سکڑ جاتے ہیں۔ اور ان کے بچے انہیں کی پرچھائیں بن جاتے ہیں۔ سکڑے سکڑے، پختہ پختہ۔ ایسے بچے کبھی زور دار طریقے سے نہیں مسکراتے۔ جس کی عام طور پر دو وجوہات ہوتی ہیں۔ پہلی یہ کہ جس مقدار اور جس معیار کا کھانا وہ عموماً کھاتے ہیں اس سے ان میں مشکل سے اِتنا ہی زور

پیدا ہوتا ہے جس سے وہ اپنے آپ کو زندہ رکھ سکیں۔ اور دوسری یہ کہ یہ سکڑے بچے اُس باچھیں پھاڑ مسکراہٹ سے نفرت کرتے ہیں جس کا مظاہرہ غلیظ ذہنیت کے لوگ انہیں سڑکوں پر اکیلا پا کر کرتے ہیں۔

معصوم شکل والے بچے کا اشتہار دیکھ کر ٹیلیویژن کے سامنے بت بنے بچے کا جی للچایا اور اُس نے باپ سے چوکلیٹ کی ضد شروع کر دی۔ باپ سمجھتا تھا کہ چوکلیٹ بیچنے والی کمپنی بیچنا تو چوکلیٹ چاہتی ہے مگر اشتہار خوسی کے بناتی ہے۔ اشتہار دیکھ کر بچے کے ذہن میں میٹھاس نہیں بلکہ خوشی کی تصویر جاگی ہے۔ اور بلا وجہ بچے نے چوکلیٹ کھانے کو خوشی سے نتھی کر لیا ہے۔ جب چوکلیٹ کھا کر بھی اسے خوشی نہ ملی تو اس نے مایوسی اور غصے میں مزید چوکلیٹ کھانی ہے اور کھاتے چلے جانا ہے۔ اور یوں چوکلیٹ کے اشتہار نے خوب خوب چوکلیٹ بیچنی ہے۔ لہٰذا باپ نے ٹال مٹول سے کام لے کر بچے کو بہلانا چاہا مگر جب بچے نے اپنی بھونڈی مگر اونچی تان میں رونا شروع کر دیا تو ماں باورچی خانے سے کھچی چلی آئی۔

"کیوں بچے کو رلا رہے ہیں، لے دیجئے نہ چوکلیٹ" ماں نے زرا تیز لہجے میں کہا۔

"یار اب تم تو شروع نہ ہو جاؤ، ابھی تھکا ہارا دفتر سے آیا ہوں۔ کل لے دوں گا۔" باپ نے التجائی انداز میں بیوی کو دیکھا۔ ایک لمحے کے لیے بچے نے رک کر حالات کا بغور جائزہ لیا اور فضاء موافق پا کر پھر رونا شروع کر دیا۔

"بس رہنے دیں، مجھے پتا ہے کتنا کام کرتے ہیں آپ دفتروں میں۔ بس دو چار فائلیں ادھر اُدھر کر لیں اور پھر سارا دن بیٹھ کر گپیں ہانکیں۔ جایئے اسے باز ۔ لے جایئے، ذرہ اس کا بھی دل بہل جائے گا۔ کب سے ٹی وی کے آگے بیٹھا ہے۔ آپ کا فرض صرف کمانا ہی نہیں ہے۔ بچے کو پیسے سے زیادہ باپ کا پیار اور توجہ چاہیئے ہوں ہے۔ اپنی ذمہ داریوں سے بھاگنے کی کوشش نہ کریں۔" ماں نے بیویوں کی طرح کہا۔

اب کچھ کہنے سننے کی گنجائش نہ بچی تھی۔ باپ سُستی سے اٹھا اور ایک لمبی انگڑائی لے کر جھپٹ کر بچے کو اٹھایا اور ہوا میں اچھال دیا۔ بچے کا رونا آناً فاناً کلکاریوں میں بدل گیا اور وہ باپ کی گود میں ایسے تن کر بیٹھ گیا گویا محاذِ جنگ پر حملہ آور سوار گھوڑے کی ایڑ لگا کر بیٹھا ہے۔

گاڑی کی چابی پکڑ کر باپ کو خیال آیا کہ موسم اچھا ہے، جلدی بھی کوئی نہیں اور وزن بھی بڑھتا جا رہا ہے، کیوں نا پیدل ہی بازار چلا جائے؟ بازار کچھ ایسا دور بھی نہیں تھا۔ چنانچہ اس نے بچے کو گود سے اتار کر اپنی کمر پر لٹکایا اور نکل کھڑا ہوا۔

چند قدم تو خراماں خراماں چلا، پھر سفر طبیعت پر گراں گزرنے لگا۔ ہر دو قدم بعد فٹ پاتھ پر یا تو بجلی، نہیں تو ٹیلی فون کا کھمبا آجاتا یا پھر کوئی قد آدم اشتہاری بورڈ۔ مجبوراً اتر کر سڑک پر آنا پڑتا۔ جوں ہی سڑک پر قدم دھرتا، شُوں کر کے کوئی نہ کوئی تیز رفتار گاڑی اتنے قریب سے گزر جاتی کہ اس کی پینٹ کے پائنچے ہوا کے جھونکے سے لہرا جاتے۔ کبھی کبھی گاڑی والا غصے کا اظہار کرنے کے لئے ہارن بھی بجاتا جاتا جس کی آواز ایک طوفانی لہر کی طرح دور سے اٹھتی آتی اور پھر گرتی ہوئی دور تک گاڑی

کے ساتھ دوڑتی سنائی دیتی۔ سنبھل کر اس نے بچے کو پیٹھ پر سے اتار کر گود میں اٹھالیا اور دھیان سے چلنے لگا۔ بجلی کے کھمبوں سے لمبی لمبی اور بے ھنگم بجلی کی تاریں اس طرح گچھوں کی صورت میں لٹک رہی تھیں کہ انہیں دیکھ کر ہی اسے جھرجھری آجاتی۔ جھرجھری اسے تاروں سے نہیں بلکہ آنکھوں میں گھومتے ایک منظر کی وجہ سے آتی۔ تاروں میں جھولتی ایک مسخ شدہ لاش۔ جو اسے بھی ایک بجلی کے جھٹکے کی طرح لگی تھی۔

ایک دان گھر میں خبر آئی تھی کہ خانساماں کا چوبیس سالہ بیٹا ارشد علی، جو پچھلے ہی ماہ بجلی کے محکمے میں ملازم ہوا تھا، تاروں کی مرمت کرتے ہوئے کرنٹ لگنے سے مارا گیا تھا۔ یک کہرام سا مچ گیا تھا۔ اُس دن وہ گھر پر ہی تھا لہٰذا خانساماں کو گاڑی میں جائے حادثہ پر لے گیا۔ وہاں سڑک کے کنارے ایک چھوٹا سا مجمع لگا تھا۔ گاڑی روکتے ہوئے تاروں پر اُس کی نظر پڑی تو اُس کو زور کا جھٹکا لگا۔

ارشد علی بچوں کے ساتھ گیند کھیلا کرتا تھا۔ اکثر بچوں کو کھلاتے کھلاتے خود بھی بچہ بن کر روٹھ جاتا۔ مگر نوکروں کے بچوں کو بھی معلوم ہوتا ہے کہ ان کی اور ان کے والدین کی اوقات کیا ہے۔ لہٰذا ناراض ہونے پر وہ دانت پیس کر صرف اتنا ہی کہتا کہ " جاو میں نہیں کھیلتا"۔ اور جیسے ہی مالک بچے تان لگا کر رونا شروع کرتے وہ اچھا اچھا اچھا کی گردان میں منت سماجت کرتا دوبارہ کھیلنے پر آمادہ ہو جاتا۔ ارشد علی کا سکڑا ہوا چہرا دیکھ کر اُسے ترس آیا کرتا تھا۔ مگر تاروں کے منظر نے اسے خوف زدہ کر دیا تھا۔ تاروں پر لٹکے ارشد علی کا چہرہ محض سکڑا ہوا ہی نہیں، مسخ شدہ بھی تھا۔ پہلی نظر میں

لگتا تھا وہ دھان پان سا لڑکا تماشا دکھاتے ہوئے تماش بینوں کو ہنسانے کے لئے منہ چڑھا رہا ہے۔ مگر جیسے ہی ہنسی منہ میں بھرتی، یہ تلخ حقیقت واضح ہو جاتی کہ وہ ایک مردہ شکل ہے۔ اور منہ کا مزہ اچانک خراب ہو جاتا۔ وہ سکڑا ہوا چہرہ اس طرح کھچا ہوا تھا گویا اس کے سارے خواب اور ارمان کالی تاروں میں چھپی بجلی کھینچ کر لے جا رہی ہو اور وہ اپنا سب کچھ لٹنے کے کرب سے گزرتے ہوئے امر ہو گیا ہو۔

اگر آج سے بیس سال پہلے ایسا واقعہ پیش آیا ہوتا تو کسی عہدیدار کے کان پر جوں تک نہ رینگتی۔ اخباروں کے پاس ویسے ہی سیاسی خبروں کا انبار لگا ہوتا ہے، بس ایک دن کے لئے چار بڑے اخباروں کو سنبھال لو، اللہ اللہ خیر صلّٰہ۔ اندر کے صفحات میں ایک چھوٹی سی خبر لگ جاتی تو بس، بات دب گئی سمجھو۔ مگر آج کے زمانے میں ایک تو ٹی وی چینلوں کی بھرمار اُوپر سے چوبیس گھنٹے چلتے رہنے کی پابندی۔ ایسی خبریں تو ان کے لئے گویا قارون کا خزانہ ہوتیں ہیں۔ بس پھر کیا تھا، دن رات ارشد علی کی تاروں میں لٹکی لاش ٹی وی سکرین پر جھپکنے لگی۔ کیوں ایک کمسن لڑکے کو بغیر حفاظتی اقدامات کے بجلی بھری تاروں کی بھینٹ چڑھا دیا گیا؟ کیا محکمے کے پاس حفاظتی آلات اور لباس ہے؟ وغیرہ وغیرہ۔ اس سب کا نتیجہ یہ ہوا کہ ارشد علی کے قل پر ہی اعلیٰ افسران نے حکومت کی طرف سے دس لاکھ روپے کا چیک ارشد علی کے خانساماں والد کو پیش کر دیا۔ اس موقع پر کافی چینلوں کے کیمرے بھی موجود تھے۔ اگلے چوبیس گھنٹے دس لاکھ کے چیک کی تصویریں سکرینوں پر چلتی رہی اور قوم اور میڈیا حکومت کے انصاف سے مطمئن ہو کر اب دوسرے اہم معاملات کی طرف متوجہ ہو گئے۔

اُس کو حکومت، میڈیا اور قوم کا یہ بازاری سارویہ دیکھ کر دُکھ ہوا۔ مگر اگلے دن اس نے خانساماں کو موبائل فون پر بات کرتے سنا۔ "وہ بڑا رحیم ہے۔ میرے بیٹے کی شہادت قبول فرمائے۔ ہاں ہاں، سارے بڑے افسر آئے تھے قلوں پر۔ ہاں ہاں ارشد علی کے چھوٹے بھائی کو اس کی جگہ نوکری پر رکھ لیا ہے۔ ہاں ہاں اللہ کے فضل سے پکی نوکری پر۔ ہاں ہاں پورے دس لاکھ روپے۔ نہیں نہیں۔ کوئی مسئلہ نہیں بھائی، افسروں نے خود مجھے چیک دیا تھا۔ میرے اکاؤنٹ میں پیسے آ بھی چکے ہیں۔"

اسے عجیب سا لگا۔ افسوس تو اُسے میڈیا اور قوم کی بازاری ذہنیت سے ہوا تھا مگر خانساماں کی باتیں سن کر اسے دکھ ہوا۔ کیا پیسہ اتنا اہم ہو چکا تھا کہ بیٹے کی کمی بھی پوری کر رہا تھا؟ پہلے تو اس نے سوچا کہ اس کا کیا لینا دینا۔ مگر وہ بھی باپ تھا۔ اس کی آنکھوں کے آگے بار بار ایک جوان لاش اور چیک کا شکریہ ادا کرتا ہوا باپ گھوم رہا تھا۔ اس سے رہا نہ گیا۔ اس نے خانساماں سے پوچھ ہی لیا۔ "بابا، ارشد علی کا غم تو ہلکا ہو گیا نا؟" اس نے طنزیہ ہونے کا ارادہ تو نہ کیا تھا مگر بجلی کی تاروں میں لٹکی ایک نوجوان سکڑی لاش نے شاید اس کے لہجے میں ضرورت سے زیادہ کڑواہٹ بھر دی تھی۔ خانساماں نے نظر بھر کہ اس کی طرف دیکھا اور ذرا توقف سے بولا۔ "بیٹا ایک دفع ایک انگریز افسر نے کہانی سنائی تھی۔ ایک بوڑھے مزدور کے گھر کوئی شخص ایک بندر کا پنجہ چھوڑ گیا۔ وہ پنجہ جادو کا تھا۔ وہ آپ کی کوئی بھی تین خواہشیں پوری کر سکتا تھا مگر قیمت اپنی مرضی کی لیتا تھا۔ مزدور اور اس کی بیوی نے پنجے سے خواہش کی کہ ان کا دس لاکھ کا قرض اتر جائے۔ اگلے دن دوپہر کو فیکٹری سے کچھ لوگ اطلاع لے کر

آئے کہ کام کے دوران حادثے میں ان کا اکلوتا جوان بیٹا ہلاک ہو گیا تھا۔ کچھ دیر بعد وہ ان کے بیٹے کی لاش اور فیکٹری مالک کی طرف سے دس لاکھ کا چیک ان کے گھر چھوڑ گئے۔" اتنا کہہ کر ایک لمحے کے لئے بوڑھے باپ کی آنکھوں میں آنسو آئے۔ "بڑا ہی تابعدار بچہ تھا میرا صاب جی۔ میرا ہر حکم مانتا تھا۔ پورے گاوں میں وہی تھا جو بارہویں تک پڑھا تھا۔ صاب جی میرا۔۔۔۔"۔ اس سے پہلے کہ وہ بیٹے کی موت پر بین ڈالنے لگ جاتا، بڈھا اچانک سنبھل گیا۔ آنسوں پونچھ کر بڑے اعتماد سے بولا" جس کی امانت تھی وہی لے گیا جی۔ اپنے پیاروں کو وہ جلدی بلا لیتا ہے اپنے پاس۔ شہادت پائی ہے میرے بچے نے، اللہ قبول کرے۔" کچھ دیر خاموشی چھائی رہی، پھر خانساماں نے ہولے سے بولنا شروع کیا"میرا سب سے ہونہار بچہ تھا جی۔ میں ہمیشہ سوچتا تھا یہی میرا سہارا بنے گا۔ چھوٹے بھائی کو نوکری بھی لگوا گیا اور چھوٹی بہنوں کی شادی کا بھی بندوبست کر گیا۔ بڑا ہونہار بچہ تھا صاب۔ بڑا لائق بچہ تھا میرا۔ میری سب پریشانیاں اپنے ساتھ ہی لے گیا۔ میرا بچہ۔۔۔۔" بوڑھے کا صبر آخر ٹوٹ ہی گیا اور اس نے ہچکیاں لے لے کر رونا شروع کر دیا۔ وہ بت کی طرح بیٹھا سُن رہا تھا۔ اس کا دل پھٹنے لگا۔ دکھ سے یا غصے سے، اس کا تعین وہ آج تک نہیں کر سکا تھا۔

بچے کو چوکلیٹ دلا کر وہ بوجھل قدموں سے، بجلی کے کھمبوں سے بچتا بچاتا گھر لوٹ آیا۔

□□□

عریاں ٹانگ

کھانے میں ڈاکٹر کو ران اور سینہ پسند تھا۔ اور ہولے ہولے چبانے میں بھی۔ اس کے علاوہ اسے زندگی میں کچھ خاص پسند نہ تھا۔ مگر اس کا یہ مطلب نہ تھا کہ وہ زندگی سے اوازار تھا، یا مردم بیزار تھا۔ اسے بس ایک غیر دلچسپ انسان کہا جا سکتا تھا۔ ایسا شخص جو ایک مجمعے کا حصہ، کامل تو ہو سکتا تھا لیکن اگر آپ اس کی ذات میں دلچسپی لینا چاہیں تو جلد ہی اوازار ہوں جائیں گے۔ بات کرنے کے لئے اس کے پاس چند گنے چنے ہی مضامین تھے۔ اگرچہ دولت کا اسے شوق نہ تھا لیکن یہ بات جان سکنے کے لئے جو جدوجہد کرنی پڑتی ہے وہ اس سے عاری تھا۔ زندگی کس چڑیا کا نام ہے؟ وہ دنیا میں کیا جھک مار رہا ہے؟ یا وہ کون ہے؟ یہ سوال کبھی اس کے ذہن میں ابھرنے نہ پائے تھے۔ بلکہ یہ کہنا زیادہ مناسب ہو گا کہ اس نے کبھی ابھرنے نہ دیئے تھے۔ بچپن سے لڑکپن کا سفر تو اس نے بڑی کامیابی سے طے کر لیا تھا مگر لڑکپن سے جوانی تک کا فاصلہ پینتیس سال کی عمر تک طے ہونے نہ پایا تھا۔ بغیر کسی مبالغے کے آپ اسے ایک پینتیس سالہ لڑکا کہہ سکتے تھے۔

کالج میں جب وہ امیر ماں باپ کے لڑکوں کو پیسے اجاڑتے دیکھتا تو بجائے ان کے اوچھے پن پر ہنسنے یا ان کی گھٹیا تربیت پر کڑھنے کے، ان سے شدید مرعوب ہو جاتا۔ انہی سے دوستیاں گانٹھتا اور ان کے ساتھ میں پورا اترنے کی سر توڑ کوششیں کرتا۔ اس کوشش میں جو تھوڑی بہت تربیت گھر سے ملی تھی یا جو کچھ اچھے دوستوں کا اثر تھا وہ بھی جاتا رہتا۔ سونے پہ سہاگہ یہ کہ امیروں کے لچھن اپنانے کے لئے جو روپیہ درکار ہوتا ہے وہ باپ سے نکلواتا۔ اس کا باپ بذاتِ خود ایک ناسمجھ سا آدمی تھا جس کے لئے کامیابی کا معیار دولت، اچھی تعلیم کا مطلب مہنگا کالج اور اچھی صحبت کے معنی بڑے لوگوں کے بچوں سے دوستیاں تھا۔ چنانچہ اس کا باپ بلا چوں چرا اسے منہ مانگی رقوم مہیا کر دیا کرتا گو کہ ایسا کرنے کے لئے اسے اپنے مالی وسائل پر خاطر خواہ بوجھ ڈالنا پڑتا۔ مگر بیٹے کی اچھی زندگی کے لئے وہ ایک اچھے باپ کی طرح یہ قربانیاں چپ چاپ دیا کرتا۔

ایک دن ایک شادی میں وہ اکیلا بیٹھا تھا۔ اس کی بیوی نے اسے ایسے اداس اور تنہا پایا تو اچانک اس پر بڑا پیار آ گیا۔ اور بیگم صاحبہ نے بڑی تگ و دو سے انتظام کیا کہ ان کی ایک سہیلی کا خاوند اس کے ساتھ بیٹھ جائے۔ ایک نو وارد سے تقریباً زبردستی تعارف کروائے جانے پر اس نے کچھ خاص ردِ عمل کا اظہار نہ کیا۔ سلام دعا اور رسمی حال احوال دریافت کرنے کے بعد اس نے نو وارد سے دریافت کیا کہ وہ کیا کرتا ہے۔ نو وارد نے زرا جھینپ کر کہا کہ وہ وکالت کے پیشے سے منسلک ہے۔ نو وارد میں خود اعتمادی کا فقدان دیکھ کر اس میں بجلی سی دوڑ گئی۔ بڑی مہارت سے اس نے تین سوالوں میں ہی بوجھ لیا کہ وکیل صاحب کی وکالت بہت زیادہ نہیں چلتی۔ اس راز کے فاش

ہونے کے ساتھ ہی، جس کو قائم رکھنے کی وکیل صاحب نے اپنے تئیں کافی سعی کی تھی، اس نے عجیب سی خوشی اور آزادی محسوس کی۔ اس نے مسکرا کر وکیل صاحب کو دیکھا اور اور دریافت کیا کہ وہ کہاں رہتے ہیں۔ یہ سوال اس نے محض اپنی معاشی برتری پر مہر ثبت کرنے کے لئے پوچھا تھا۔ پھر اس نے زرا گھما پھرا کر پوچھا کہ وکیل صاحب نے گاڑی کون سی رکھی ہوئی ہے۔ جب گاڑی بھی اپنے سے بہت چھوٹی اور پرانی نکلی تو اس نے اترا کر اپنی گاڑی کی چند تعریفیں کیں اور وکیل صاحب کو باور کروایا کہ ہر سال گاڑی بدلنا اس کا شوق ہے۔ اس کے بعد کوئی ضرورت تو نہ تھی مگر مدِ مقابل کی شکست سے مزید لطف اندوز ہونے کے لئے اس نے بچوں کے سکول کا ذکر چھیڑ دیا اور اپنے بچوں کے بڑے سکول کی چند باتیں کیں اور پھر وکیل صاحب کو سنانے کے لئے کہ وہ اپنے بچوں کو کتنے مہنگے سکول میں پڑھاتا ہے اس نے جھوٹ موٹ گلہ کیا کہ دیکھیں نہ وکیل صاحب تعلیم کتنی مہنگی ہوگئی ہے اب میرے بچوں کا سکول ہی لیجئے ان کی فیس اتنی ہے، اب ایک عام آدمی اتنی فیس کیسے ادا کر سکتا ہے؟ کتنی ناانصافی ہے نہ وکیل صاحب؟ اور وکیل صاحب نے مدقوق سے انداز میں ہلکے سے سر ہلانے پر ہی اکتفا کیا۔

جب اسے احساس ہو گیا کہ مدِ مقابل پر اس کی برتری ثبت ہو چکی ہے اور اسے مزید اپنا بڑا پن ثابت کرنے کی ضرورت نہیں تو اس کے تنے ہوئے اعصاب ڈھیلے پڑ گئے۔ اور اسے یوں محسوس ہوا گویا کہ ابھی تک وہ ایک دوڑ میں حصہ لے رہا تھا جس کا اچانک ' ختتام ہو گیا ہو۔ اس نے فاتحانہ سے انداز میں اِدھر اُدھر نظر دوڑائی اور پہلی دفع نو وارد کو دوستانہ نگاہوں سے دیکھا۔ " یار تمہیں کھانا کس قسم کا پسند ہے؟

" اس نے بڑی بے تکلفی سے پوچھا۔ "مجھے تو سر جی نہاری بہت پسند ہے" وکیل صاحب نے کچھ شرمندہ سا ہو کر کہا۔ "نہاری؟" اس نے اچھل کر کہا۔ "نہاری کا تو میں دیوانہ ہوں۔ اور باربی کیو میری کمزوری ہے۔" اس کے بعد اس نے لاہور کے چھوٹے بڑے اور اچھے بُرے ریستوران ان کے گُنوں کے ساتھ گنوانے شروع کر دئے۔ کچھ دیر یہ ذکر اذکار کرنے کے بعد اس نے محسوس کیا کہ وکیل صاحب ہوں ہاں ہی کر رہے ہیں۔ وہ سمجھ گیا کہ وکیل صاحب کو کھانے پینے سے کچھ خاص دلچسپی نہ تھی۔ چونکہ ان کے جاننے والے مشترکہ نہ تھے لہٰذا وہ کسی کی چغلی بھی نہ کر سکتا تھا۔ چنانچہ اس نے سیاست کی بات شروع کر دی۔ کچھ ہی دیر بات کرنے پر اُسے اندازہ ہو گیا کہ وکیل صاحب اس میدان میں اس سے کوسوں آگے تھے۔ وہ ان معاملات میں معلومات بھی رکھتے تھے اور ہر بات پر کتابوں کے حوالے بھی دیتے تھے۔ لہٰذا جلد ہی اِس مضمون پر بھی بات ختم ہو گئی۔ وہ سوچنے لگا کہ اب کیا بات کرے۔ اس کی سمجھ میں کچھ نہ آیا۔ کچھ دیر اسی طرح خاموشی چھائی رہی جس کے بعد وکیل صاحب نے آہستہ سے کہا کہ وہ شاعری بھی کرتے ہیں۔ یہ سن کر اُس نے ایسی عجیب ہونق نگاہوں سے وکیل صاحب کو دیکھا کہ وہ شرمندہ سے ہو گئے۔ اس کے بعد وہ دونوں کھانے کے اعلان تک چپ چاپ بیٹھے رہے۔

اگلے دن ڈاکٹر کے کلینک میں ایک ادھیڑ عمر آدمی داخل ہوا۔ گھبرایا ہوا، بال الجھے، بٹن کھلے، قمیض پینٹ سے باہر نکلی ہوئی۔ مریض کو الٹیاں آرہی تھیں۔ ڈاکٹر کے اسسٹنٹ نے بتایا کہ مریض کی حالت کافی خراب ہے اور وہ فوراً پزیرائی چاہتا تھا۔ اس نے برا سا منہ بنالیا۔ منع کرنے ہی والا تھا کہ اس نے سوچا کہ جو چار مریض اس

سے مشورہ حاصل کرنے کا انتظار کر رہے ہیں وہ سب پرانے لوگ ہیں اور کوئی بھی زیادہ بیمار نہ ہے۔ ممکن ہے کہ یہ نیا مریض کسی موذی مرض میں مبتلا ہو اور لمبا علاج مانگتا ہو۔ کچھ اشتیاق بھرے انداز میں اس نے اپنے کمپاونڈر کو اشارہ کیا کے نو وارد مریض کو اندر بھیج دے۔ مریض کے کپڑے دیکھ کر اس نے پھر برا سا منہ بنالیا اور اس کی حالت سن کر اس کے ارمانوں پر گویا اوس ہی پڑ گئی۔ یہ تو عام سا بد ہضمی کا مرض تھا۔ خیر اب کیا ہو سکتا تھا۔ اس نے مریض کو ٹیکہ لگا کر پاس ہی پڑے بستر پر لیٹا دیا اور دوسرے مریضوا کو دیکھنے لگا۔ جب تک اس نے باقی چار مریضوں کو دیکھا آدھا گھنٹا گزر چکا تھا۔ اب وہ پھر نو وارد مریض کی طرف متوجہ ہوا جس کی حالت اب سنبھل چکی تھی۔ مریض نے اب کے جب منہ ٹیڑھا کر کہ انگریزی میں اس کا شکریہ ادا کیا تو اس کے کان کھڑے ہوئے۔ ساتھ ہی مریض نے جیب سے مہنگا فون اور مہنگی گاڑی کی چابی نکال کر دوسری جیب یں ڈالی تو اس کے چہرے پر مسکراہٹ پھیل گئی۔ اب اس نے اچانک بڑی مستعدی سے مریض کا دوبارہ طبی معاینہ شروع کیا جو پہلے کی طرح واجبی سا نہ تھا بلکہ بڑا تفصیلی تھا۔ مریض کی حالت بھی بہتر تھی اور ڈاکٹر صاحب بھی اتنی توجہ دے رہے تھے، مریض کا خوش ہونا تو بنتا ہی تھا۔ باتوں باتوں میں اس نے معلوم کر لیا کہ مریض ایک بڑا افسر ہے۔ بڑا افسر اوپر سے امیر و کبیر، اس کے بڑے بڑے لوگوں سے روابط ہونا تو لازمی تھا۔ اس کی توجہ ہلکی پھلکی چاپلوسی میں بدلتی گئی۔ مریض بھی پھولے نہ سمایا۔ جب تک مریض اپنے کپڑے وغیرہ ٹھیک کر کہ اس کے کلینک سے نکلا دونوں گہرے دوست بن چکے تھے۔ وہ بھی اب ایک مشہور اور کامیاب ڈاکٹر تھا، افسر صاحب کی بھی اس سے دوستی کی خواہش کوئی انہونی بات نہ تھی۔

افسران بھی تو بیمار ہوتے ہیں اور صحت یاب ہو کر انہوں نے بھی تو لوگوں کو بتانا ہوتا ہے کہ وہ کس کس پائے کے ڈاکٹروں سے علاج کرواتے ہیں جو دوسروں کو چھوڑ کی پہلے ان کا علاج کرتے ہیں۔ آخر کہ وہ افسر ہوتے ہیں کوئی ایرے غیرے نتھو خیرے تو نہیں۔

ایک دن ہسپتال میں ڈاکٹر کو نرس بلانے آئی۔ ایمرجنسی کیس تھا۔ کسی خاتون پر کڑاھی سے اُبلتا تیل گر گیا تھا۔ کمرے میں داخل ہوتے ہی ڈاکٹر کو جھٹکا سا لگا۔ چادر اس طرح سے ہٹی ہوئی تھی کہ ایک پوری ٹانگ عریاں تھی۔ گوری چٹی بھری بھری جوان عورت کی صحت مند اور خوبصورت ٹانگ۔ ران کے اندرونی حصے پر ایک بڑا سا لال دھبہ مزید قیامت ڈھا رہا تھا۔ ڈاکٹر مذہبی آدمی تو نہیں تھا مگر اخلاقیات کا بڑا قائل تھا۔ بڑوں کی عزت کرنا، مہمانوں کی مہمان نوازی کرنا اور خواتین کی عزت وغیرہ کرنے پر وہ بڑی سختی سے عمل کرتا تھا۔ ڈاکٹر نے غصے سے نرس کی طرف دیکھا اور بولا "نرس، آپ کو معلوم نہیں کہ اسلام میں پردے کے کیا احکامات ہیں؟ جایئے اور کسی ڈیوٹی لیڈی ڈاکٹر کو بلایئے۔"

□□□

سکول

روزانہ کی طرح آج بھی اس کی آنکھ الارم کی منحوس آواز سے ہی کھلی۔ جب رات دیر گئے تک ٹیبلٹ پر فلمیں دیکھنے کے بعد جوانی کی بھرپور نیند پوری ہونے سے پہلے ہی الارم بج اٹھے تو اس کی آواز منحوس ہی لگتی ہے۔

"جانے یہ بچوں کے سکول صبح صبح کیوں لگتے ہیں۔" اس نے گرم رضائی سے نکلتے ہوئے تعلیمی نظام کی بے وجہ سختیوں کو کوسا۔

رضائی ہٹاتے ہی بند کمرے کی یخ فضا اس کے چاروں طرف ایسے جم گئی گویا وہ برف کے بلاک میں بند ہو۔ ٹھٹھر کر اس نے سوچا کہ دو منٹ جاگتے میں بھی گرم گرم بستر کے مزے لوٹ لے۔ بڑی مشکل سے اٹھ کر اس نے بجلی کا ہیٹر جلایا اور واپس بستر میں آکر لیٹ گئی۔ اذیت ناک حد تک سرد کمرے میں گرم بستر نے نشہ طاری کر دیا اور لمحوں میں اس کی آنکھ لگ گئی۔

اب کے اس کی آنکھ الارم کے بغیر کھلی، مگر ایک اندرونی جھٹکے سے۔ دوبارہ سونے کے احساسِ گناہ نے اسے چین نہ لینے دیا تھا۔ ہڑبڑا کر اس نے گھڑی کی طرف دیکھا تو وقت کی سوئیاں بیس منٹ کا چکر کاٹ چکی تھیں۔ تقریباً اچھل کی وہ بستر سے نکلی اور اپنے بالوں کا جوڑہ باندھتے ہوئے چیخی، "عائشہ اٹھو، دیر ہو گئی ہے"۔ چھ سالہ عائشہ ٹس سے مس نہ ہوئی۔ ماں کو ایسے محسوس ہونے لگا جیسے سکول تیزی سے پھسلتا ہوا دور جا رہا ہے۔ اس نے پیٹ پر چڑھی قمیص نیچے کو کھینچی اور ایک ہی جھٹکے میں رضائی کو پلنگ کی پائنتی میں پھینک کر ننھی عائشہ کا بازو اس زور سے کھینچا کہ بچی سیدھی ٹانگوں کے ساتھ ہی کمر تک اٹھ بیٹھی۔ چونکہ بچی سوئی سوئی بٹھا دی گئی تھی لہٰذا اپنے ہی وزن سے جھول کر پھر سے لیٹ گئی۔ ماں نے دونوں پاوں پکڑ کر باہر کھینچے اور اب کی بار دونوں بازووں سے پکڑ کر بچی کو کھڑا کر دیا۔ اس سے پہلے کہ عائشہ زمین پر ہی لیٹ جاتی، ماں نے ایک ہاتھ اس کی بغل میں ڈا اور دوسرے ہاتھ سے بچی کی کمر پر زور دار دھپ رسید کی۔ یہ نسخہ کارآمد ثابت ہوا اور عائشہ جاگ اٹھی۔ ساتھ ہی اس نے بھوں بھوں کر کے رونا شروع کر دیا۔

ماں نے جلدی جلدی عائشہ کا ہاتھ منہ دھلایا اور کپڑے بدلنے لگی۔ اس دوران جب بھی ماں کی نظر گھڑی پر پڑتی تو اسے یوں محسوس ہوتا گویا وہ وقت کی مسلسل چکر کاٹتی سوئیوں کے بوجھ تلے دبتی جا رہی ہو۔ اور ہر دفعہ وہ اور زیادہ وحشیانہ طریقے سے بچی کو تیار کرنے لگتی۔

جوتوں کی باری آنے تک آیا ناشتے کا ٹرے لے آئی جسے دیکھ کر عائشہ نے پھر ٹسوے بہانے شروع کر دیئے۔ لیکن ماں کی کرخت آواز میں دی جانے والی دھمکیوں سے سہم کر ناشتہ زہر مار کرنے لگی۔ آیا نے جوتے پہنانے شروع کیئے اور ماں نے ٹوسٹ پر مکھن لگا کر دیا جسے عائشہ نے جیم سے لگا لگا کر کھانا شروع کر دیا اور ساتھ چاکلیٹ ملے دودھ کے چھوٹے چھوٹے گھونٹ بھرنے شروع کر دیئے۔ جب ماں نے تلے ہوئے انڈے کی طشتری آگے کی تو بچی نے برا سامنہ بنا کر التجائی نظروں سے ماں کی طرف دیکھا۔ ماں نے جھاڑ پلائی کہ یہ دیسی مرغی کا انڈہ ہے جو بڑے مہنگے دیسی گھی میں تلا گیا ہے اور جسے کھانا سردیوں میں بہت ضروری ہے ورنہ بچوں کو ٹھنڈ لگ جاتی ہے اور پھر ٹیکا لگوانا پڑتا ہے۔ اس دہشت ناک انجام سے روزانہ کی طرح خوفزدہ ہو کر بچی نے بادل نخواستہ انڈہ کھانا شروع کر دیا۔ ناشتہ ختم ہوتے ہوتے آیا نے اسے جوتے پہنا کر اس کے بالوں میں کلپ بھی لگا دیئے تھے اور اس کا بستہ بھی تیار کر دیا تھا۔ اب کے ماں نے گھڑی پر نظر ڈالی تو اس کے بدن کا تناو ڈھیلا پڑ گیا۔ عائشہ وقت پر تیار ہو چکی تھی۔ ماں نے آیا سے کہا کہ ڈرائیور کو بلا لائے۔ آیا کے جانے کے بعد ماں نے بچی کو چوما ، گلے سے لگایا اور باہر لے آئی۔ ڈرائیور تیار کھڑا تھا۔ آیا اور عائشہ گاڑی میں بیٹھ گئے۔ ماں نے ہاتھ ہلا کر عائشہ کو الوداع کہا اور اپنی بقیہ نیند پوری کرنے کمرے کی طرف چل پڑی۔

گیٹ سے نکل کر گاڑی فراٹے بھرتی ہوئی سکول کی طرف بھاگی۔ ماں کے حصار سے نکل کر عائشہ پر پھر نیند کا غلبہ طاری ہو گیا۔ اور وہ آیا کی گود میں سر رکھ کر،

سیٹ پر ٹانگیں سمیت کر لیٹ گئی۔ آپا نے پچکار کر عائشہ کے سر پر پیار سے ہاتھ پھیرنا شروع کر دیا مگر اس کی آنکھیں کھڑکی سے باہر سڑک پر مرکوز تھیں۔ اچانک آپا کے ہونٹوں پر مسکراہٹ پھیل گئی۔

سڑک کنارے چھوٹے چھوٹے قدموں سے چلتا ہوا علی تھا۔ بستہ اس کی کمر پر ایسے لٹک رہا تھا جیسے وہ شام کو اپنے باپ کی گردن میں ہاتھ اور بغلوں میں ٹانگیں ڈالے لٹکا کرتا تھا۔ کتابوں کے بوجھ سے وہ آگے کو جھکا جھکا چل رہا تھا۔ اس کے کالے یونیفارم کے جوتے آپا نے گیلے کپڑے سے اچھی طرح صاف کئے تھے مگر خستہ حال جوتوں پر سے کالک کے چھینٹے اڑ چکے تھے اور نیچے سے دراز عمر جوتوں کی چتکبری چاندی جھلک رہی تھی۔ اس کی صاف ستھری سلیقے سے استری شدہ سلیٹی رنگ کی پینٹ ٹخنوں تک تھی جس کے نیچے دھلی ہوئی مگر ڈھیلی ڈھالی ہلکی نیلی جرابیں نظر آ رہی تھیں۔ یہ سوچ کر کہ آج اس نے علی کو بناسپتی گھی میں تلا ہوا پراٹھا پلاسٹک کے لفافے میں احتیاط سے باندھ کر دیا تھا جسے وہ آدھی چھٹی میں بڑی رغبت سے کھائے گا، آپا کا دل پیار سے بھر آیا اور اس نے بے اختیار ہو کر عائشہ کا سر چوم لیا۔

□□□

جیکی

مجھے دیکھتے ہی وہ والہانہ محبت سے سرشار میری طرف دوڑتا آیا اور شفقت پدرانہ کے لئے میری گود میں چڑھنے کے لئے اچھلنے لگا۔ میں نے بھی بے اختیار ہو کر اسے گود میں اٹھالیا مگر کچھ جھجھکتے ہوئے کہ وہ میرا نہیں کسی کتے کا بچہ تھا۔ ہم نے اس کا نام جیکی رکھا تھا۔ مجھے کتوں کا شوق نہیں تھا۔ یہ کہنا دراصل مشکل ہے کہ کیا واقعی مجھے کتوں کا شوق نہیں تھا۔ قصہ کچھ یوں تھا کہ مجھے کتوں میں سب سے نمایاں چیز ان کے لمبے لمبے اور نوکیلے دانت نظر آتے تھے۔ اس پہ غضب یہ کہ وہ ظالم چبانے کے ساتھ ساتھ دانتوں سے وہ کام بھی لیا کرتے جو ہماری نسل کے جانور اپنی نازک انگلیوں سے لیتے ہیں، یعنی چیزوں کو اپنی گرفت میں لینا۔ چنانچہ ڈر کے مارے میں نے کبھی کتا پالنے کی کوشش نہ کی تھی۔ مگر اب چوروں اور ڈاکوؤں نے شہر میں بارش کی طرح برسنا شروع کر دیا تھا۔ سو بادل نخواستہ ایک دوست کی معرفت عمدہ نسل کا ایک کتے کا بچہ حاصل کیا۔

جیکی صاحب کے گھر میں آتے ہی ہل چل مچ گئی۔ کہیں جیکی کے کھانے اور پینے کے برتنوں کا بندوبست ہونے لگا تو کہیں اس کے بستر کا معاملہ زیر بحث تھا۔ اور پھر یہ ہل چل گویا گھر میں رچ بس سی گئی۔ کبھی یہ مسئلہ درپیش تھا کہ آج جیکی صاحب کو کھانے میں کیا پیش کیا جائے تو کبھی جیکی صاحب کی اچھل کود کی وجہ سے ٹوٹنے والے گلدان کے گرد گویا اک کہرام سا مچا دکھائی دیتا۔ قصہ مختصر یہ کہ چپ چاپ سی تنظیم کے تحت چلنے والے گھر میں رونق سی لگ گئی تھی۔ کبھی شور کبھی شرارتیں۔ کبھی چیخیں کبھی قہقہے۔ ایسا معلوم ہوتا تھا کہ بوڑھے لوگوں کے گھر میں چھوٹا سا بچہ آ ٹپکا ہو۔

شروع شروع میں تو میں جیکی سے کھچا کھچا رہا۔ کچھ تو مجھے اس سے ڈر لگتا اور کچھ مجھے اسے ہاتھ لگاتے ہوئے گھن سی آتی۔ مگر قدرت کو کچھ اور ہی منظور تھا۔ یا تو جیکی نے حساب لگا لیا تھا کہ اس کے لئے چھیچھڑے ہمیشہ میں ہی لاتا ہوں یا پھر میرے سارا دن گھر سے باہر رہنے پر وہ میرے لئے اداس ہو جایا کرتا تھا۔ جو بھی تھا اس کا نتیجہ یہ تھا کہ چند ہی ہفتوں کی رفاقت میں میں جیکی کی آنکھ کا تارا اور لاڈلہ ہو گیا۔ مجھے دیکھتے ہی جیکی بھاگا بھاگا میرے پاس آ جاتا۔ زور زور سے دم ہلاتا، میرے جوتے چاٹتا اور میرے قدموں میں لوٹ لوٹ جاتا۔ اور جب میں اسے گود میں اٹھا لیتا تو گویا پیار میں پاگل سا ہو جاتا اور اس کی سمجھ میں نہ آتا کہ وہ میرے لئے اپنی والہانہ محبت کا اظہار کیسے کرے۔ شروع شروع میں میری گود میں آتے ہی وہ میرا منہ چاٹنے کی کوشش کرتا جس سے مجھے سخت کوفت ہوتی اور میں گھبرا کر اسے نیچے اتار دیتا۔ مگر آہستہ آہستہ ہم دونوں ایک دوسرے کو سمجھنے لگے۔ جیکی نے مجھے چاٹنا چھوڑ دیا اور میں نے اس سے گھن

کھانا۔ ویسے بھی کچھ ہی مہینوں میں وہ اس قدر قد کاٹھ نکال چکا تھا کہ اب ہماری ملاقات میں وہ اٹھ کر میری گود میں نہیں آتا تھا بلکہ اچھل کر اپنے دونوں اگلے پنجے ہوا میں اٹھا دیتا جنھیں میں کیچ کر لیا کرتا اور پھر نیچے بیٹھ کر اسے گلے لگا لیتا۔ چند سیکنڈ کسی چھوٹے سے بچے کی طرح میری گردن سے اپنی گردن رگڑنے کے بعد وہ دم ہلاتا اچھلتا کودتا میرے چاروں طرف گھومنے لگتا اور یوں مجھ سے ملاقات پر اپنی خوشی کا اظہار کرتا۔ میں بھی اس کی ان خرمستیوں سے خوب خوب محظوظ ہوتا۔

آہستہ آہستہ مجھے بھی جیکی کی عادت سی ہو گئی۔ میں جب بھی گھر میں ہوتا جیکی یا تو مجھ سے کھیل رہا ہوتا یا پھر میرے آس پاس ہی کہیں میرے اشارے کا منتظر رہتا۔ جیسے ہی میں اسے پکارتا وہ بجلی کی سی تیزی سے چوکڑیاں بھرتا میری طرف لپکتا اور میرے اشاروں پر ناچتا۔ میری موجودگی میں وہ کسی اور کو خاطر میں نہ لاتا بلکہ صرف اور صرف میری بات مانتا۔

اور پھر یوں ہوا کہ جیکی بیمار پڑ گیا۔

برق رفتار گاڑی میں ایندھن ختم ہو جانے پر وہ کچھ دیر بھاگتی تو رہتی ہے مگر اس میں بھاگنے کی قوت نہیں ہوتی۔ جیکی کے ساتھ بھی ایسا ہی ہوا۔ بیماری نے جیکی کی زندگی نچوڑ کر اسے ایسی ہی ایک بے جان سواری بنا دیا تھا جو اپنی پچھلی زندگی کے دم پر دوڑتی تو جا رہی تھی مگر جنازے کی طرح آہستہ آہستہ رکتی ہوئی۔

جیکی کا علاج کروایا۔ جو دوادارو ہو سکا کیا۔ سرکار کے گھوڑا ہسپتال بھی لے کر گئے اور مین مارکیٹ میں کھلے جانور دواخانوں میں بھی۔ مگر افاقہ نہ ہوا۔ مرض بڑھتا گیا۔ جیکی مرتا گیا۔

جیکی کا کھانا پینا کم ہوتا گیا۔ اب اس میں پہلی سی پھرتی اور شوخی نہ رہی۔ وہ اب بھی مجھے دیکھتے ہی میری طرف آتا مگر بھاگ کر نہیں بلکہ سستی سے چلتے ہوئے۔ اس میں اتنی طاقت نہ رہی تھی کہ اچھل کر اپنے اگلے پنجے مجھے کیچ کروانے کے لئے ہوا میں لہراتا۔ بس میرے قدموں میں آکر بیٹھ جاتا۔ اسے ایسے بیٹھا دیکھ کر میرا دل بیٹھ سا جاتا۔ یوں محسوس ہوتا گویا جسم و روح کے رشتے کی نازکی میرے قدموں میں آ بیٹھی ہے۔

بچپن میں ایک دن شرلا اڑاتے اڑاتے اس کی ڈور اچانک ختم ہو گئی۔ شرلے کے ہوا میں جھولوں سے محفوظ ہوتے ہوئے یک دم ڈور کا آخری سرا میرے ہاتھ سے نکل گیا۔ یوں لگا کہ ڈور کے سرے سے بندھ کر میری روح بھی ہاتھ سے نکل گئی۔ خالی پن کی ایک وحشی سی لہر سارے بدن میں دوڑ گئی تھی۔ اور پھر میں دیر تک دور جاتے شرلے کو یوں بے بسی کے عالم میں دیکھتا رہا جیسے اب جیکی کو دیکھا کرتا تھا۔

جیکی کے علاج معالجے پر میں نے کوئی کسر نہ اٹھا رکھی۔ ایک پورا دن دفتر سے چھٹی بھی کی۔ ایک دن آدھی چھٹی کی اور کئی دفعہ پوری پوری شام اسے لے کر کبھی ڈاکٹر پر، کبھی ٹیکے لگوانے کبھی ڈرپ لگوانے۔

دھیرے دھیرے جیکی نے میری طرف آنا بھی چھوڑ دیا۔ اس میں اب اتنی ہمت بھی نہ رہ گئی تھی کہ اٹھ کر میرے پاس آتا۔ پہلے پہلے وہ سر اٹھا کر میرا استقبال کرتا اور پھر صرف آنکھیں کھول کر اپنے پیار کا اظہار کر دیتا۔

آہستہ آہستہ میں بھی اس کی بیماری کا عادی ہونے لگا تھا۔ شروع شروع میں تو میں خود جا کر اس کے سر پر ہاتھ پھیرتا اور کچھ دیر اس سے باتیں واتیں کرتا مگر پھر یہ ملاقاتیں تکلفات بنتے بنتے بالکل ختم ہوتی گئیں۔ اب میں گھر آتا تو جیکی سستی سے آنکھیں کھول کر مجھے دیکھ لیتا اور میں گزرتے ہوئے گردن گھما کر اسے۔ وہ ہلکی سی دم ہلا کر اظہار محبت کر پاتا اور میں شائستگی سے اسے پکار کر رسم نبھا دیتا۔

جس طرح مری ہوئی مچھلی کو دریا دھارے میں سے اچھال کر کنارے پر پھینک دیتا ہے اسی طرح بے بس وجود کو زندگی کا دھارا بھی کوڑے کرکٹ کی طرح اچھال کر کنارے پر پھینک دیتا ہے۔

جب جیکی نے آنکھیں کھولنی چھوڑ دیں، مگر ابھی سانس لینی نہ چھوڑی تھی تو میں نے ملازم سے کہا کہ جیکی کو گیٹ کے باہر رکھ دے جب یہ مر جائے تو مناسب طریقے سے اسے ٹھکانے لگا دے۔

□□□

ایک وکیل صاحب کی کہانی

خزاں کی دوپہر کا وقت تھا جب وکیل صاحب نے گاڑی دفتر کے باہر کھڑی کر کہ چابی ہشیار کھڑے ملازم کو دی کہ گاڑی کو مناسب جگہ لگا دے اور دفتر میں آ گئے۔ اندر منشی نے آگے بڑھ کر ان کا استقبال کیا اور ان کے ساتھ ہی ان کے کمرے میں آ گیا۔ اندر آتے ہی منشی نے فر فر اگلے دن کے مقدموں کی تفصیل بتانی شروع کر دی۔ وکیل صاحب عدالتوں میں سارا دن کھجل ہو کر آ رہے تھے۔ کسی عدالت میں گواہوں پر جرح کرتے ہوئے سوال پر سوال کرنے پڑے کہ گواہ سچ بولنے کو تیار ہی نہ تھے اور ان کے منہ سے سچ اگلوانا ایک معرکہ بنا کھڑا تھا۔ کسی عدالت میں ایک ہی قانونی شق کی مختلف طریقوں سے تفسیر کرنی پڑی، ایک کے بعد ایک پرانے عدالتی فیصلے جج صاحب کو پڑھانے پڑے مگر جج صاحب کسی اور ہی منطق پر چل رہے تھے۔ جھنجلا کر وکیل صاحب نے تاریخ کی درخواست کر دی جسے جج صاحب نے بخوشی قبول کر لیا۔ اگلے مقدمے میں ایک بحث بر درخواست تھی، یعنی

ایک درخواست پر بحث کرنی تھی، جو جب شروع ہوئی تو وکیل صاحب کو احساس ہوا کہ ایک دستاویز تو وہ مثل یعنی فائل میں داخل کرنا بھول ہی گئے تھے۔ بڑی مشکل سے اس مقدمے میں بھی انھیں تاریخ ہی لینی پڑی۔ ان کے علاوہ بھی گیارہ مقدمات تھے جن میں سے کچھ میں کاروائی ہوئی اور کچھ میں کسی نہ کسی وجہ سے تاریخ پڑ گئی۔

جس مقدمہ میں تاریخ پڑی وکیل صاحب نے شکر کر کے لے لی کیوں کہ روزانہ مختلف عدالتوں میں ان کے پندرہ سے بیس مقدمات لگے ہوتے ہیں اور ایک دن میں پندرہ مقدمات میں صیح معنوں میں کاروائی کرنا ایک وکیل کے لئے ممکن نہیں ہوتا۔ یہ بات کہ انہیں کم مقدمات میں وکیل ہونا چاہیے تاکہ ایک دن میں ان کے کم کیس لگیں اور وہ ہر تاریخ پر ہر مقدمے پر خصوصی توجہ دے سکیں ان کے نزدیک ظلم تھی۔ وہ اس لئے کہ ان کے زیادہ تر مقدمات ایسے لوگوں کے تھے جو یا تو چھوٹی چھوٹی نوکریاں کرتے تھے یا کوئی چھوٹا موٹا کاروبار کرتے تھے۔ متوسط طبقے سے تعلق رکھنے والے یہ لوگ بہت زیادہ فیس ادا نہ کر سکتے تھے، ان کے اکثر مسائل تھے تو چھوٹے چھوٹے مگر ظاہر ہے کہ ان بچاروں کے لئے یہ جینے مرنے کے معاملے تھے۔ یہ سب سفید پوش لوگ چاہتے تھے کہ ان کے مقدمات کوئی اچھا اور تجربہ کار وکیل لڑے۔ مگر اچھے اور تجربہ کار وکلاء فیس اتنی مانگتے جو ان سائلین کے بس سے باہر ہوتی۔ لیکن وکیل صاحب ایسے لوگوں کے مقدمات لے لیا کرتے تھے۔ فیس بھی کم لیتے اور مقدمات بھی اچھی طرح لڑتے۔ لیکن اپنے تین بچوں کو کالج اور یونیورسٹیوں میں پڑھانے اور دوسرے خرچ پورے کرنے کے لئے انہیں یہ سمجھوتہ کرنا پڑا کہ وہ

کم قیمت پر مقدمات تک تو کر لیتے مگر پھر انہیں کافی زیادہ مقدمات جمع کرنے پڑتے تاکہ تھوڑا معاوضہ لینے کے باوجود وہ اپنے خرچ بھی پورے کر سکیں۔

کئی دفعہ وکیل صاحب نے سوچا کہ وہ کیوں زیادہ مقدمات لیں؟ بس اتنے مقدمات لیں جنھیں وہ ہر پیشی پر آسانی سے کر سکیں۔ خود بھی پر سکون زندگی گزاریں، مقدمات بھی اچھے طریقے سے لڑیں اور سائلین کو بھی خوش رکھیں۔ مگر ایسا کرنے کہ لئے انھیں دو میں سے ایک کام کرنا پڑتا۔ یا تو وہ اپنی فیس بڑھاتے تاکہ تھوڑے مقدمات میں سے ہی اپنے خرچ پورے کر سکیں یا پھر وہ اپنے خرچ کم کرتے۔ فیس بڑھاتے تو متوسط طبقے کی پہنچ سے باہر ہو جاتے، جس کا ان کو کم اور سفید پوش سائلین کو زیادہ نقصان ہوتا کہ قابلیت کی وجہ سے انہیں تو امراء کے پھر بھی کچھ مقدمات مل جاتے مگر ان مجبور لوگوں کو شاید اس معاوضے پر عمدہ وکلاء اتنی آسانی سے نہ مل پاتے۔ دوسری طرف اپنے خرچ کم کرتے تو بیوی اور یونیورسٹیوں میں پڑھتے بچے شور مچاتے اور ان کے اعتراضات کچھ اتنے ناجائز بھی نہ ہوتے کہ اوّل تو وہ کوئی بہت شاہانہ زندگی نہیں گزار رہے تھے اور پھر جب وہ بازار میں بیٹھے اپنے ہنر کا معاوضہ ہی لے رہے تھے تو بازاری اصول کے مطابق سب سے اونچی بولی لگانے والے کو کیوں مال نہ اٹھواتے؟ سو انھوں نے سمجھوتا کر لیا۔ مقدمات زیادہ مگر معاوضہ تھوڑا۔

منشی کی فر فر سے وکیل صاحب اوازار تو ہو رہے تھے مگر یہ روز کا وطیرہ تھا اور مقدمات کی بھرمار کی وجہ سے ضروری بھی۔ کس مقدمہ میں گواہوں پر جرح کرنی تھی اور کس میں بحث۔ کس میں انھیں آخری موقع تھا اور کس میں مخالف فریق کو۔ سنتے

رہے اور حساب لگاتے رہے کہ کون کون سے مقدمات میں اب تاریخ ملنی مشکل ہے اور وقت آگیا ہے کہ انہیں تیار کر کے کل کاروائی کر دی جائے۔ روز کی طرح یہ حساب کچھ خاص مشکل ثابت نہ ہوا اور انہوں نے تین مقدمات کو اگلے روز کے لئے تیار کرنے کا فیصلہ کر کے منشی کو فائلیں لانے کا کہا۔ فائلیں آنے پر وکیل صاحب نے ایک گہرا سانس بھرا اور کام میں جت گئے۔

ابھی ایک گھنٹا ہی کام کر پائے ہوں گے کہ منشی نے پیغام دیا کہ ایک خاتون اپنے مقدمے کے سلسلے میں ملنا چاہتی ہیں۔ چونکہ منشی کو تنخواہ برائے نام ہی ملتی اور اس کی اصل روزی بھی مقدمات کی فیسوں سے ملنے والے منشیانے ہی تھے لہٰذا وہ بڑا خیال رکھتا کہ کوئی پرانا سائل ناراض نہ ہو اور کوئی نیا آنے والا سائل مقدمہ دیے بغیر جانے نہ پائے۔ منشی نے وکیل صاحب کو زور دے کر بتایا کہ یہ خاتون ایک بڑی گاڑی میں تشریف لائی تھیں جبکہ ڈرائیور اور ایک ملازمہ ہمراہ تھیں۔ سائل کی امارت کا ذکر سن کر کام میں منشی کے مخل ہونے سے وکیل صاحبؒ کو جو احساسِ جھنجلاہٹ ہوا تھا وہ جاتا رہا اور انہوں نے سائلہ کو اندر بھیجنے کا عندیہ دیا۔ جب سائلہ اندر داخل ہوئی تو وکیل صاحب کی سارے دن کی تھکن کافور ہو گئی۔ وکیل صاحب نہ تو خراب کردار کے مالک تھے نہ ہی اخلاق سے گری ہوئی سوچ رکھتے تھے۔ پھر بھی ایک خوبصورت خاتون کو دیکھ کر طبیعت باغ باغ ہو گئی۔

یہ ایک سرو قد خاتون تھیں۔ عمر چالیس کے پیٹے میں ہو گی۔ جسم بھرا بھرا مگر ملائم۔ رنگ تازے دودھ سے زیادہ سفید اور جلد گویا صبحِ پُرنور کی مانند اُجلی۔

ستواں ناک، موٹے موٹے ہونٹ جن پر یاقوتی سرخی گویا قیامت تھی۔ صراحی دار گردن۔ وکیل صاحب نے اٹھ کر خاتون کا استقبال کیا، انھیں اپنے میز کے سامنے والی کرسی پر بیٹھنے کا اشارہ کیا اور منشی سے چائے لانے کا کہہ کر خود بھی بیٹھ گئے۔ بجھے ہوئے سنہری رنگ کی شلوار قمیض کے اوپر ہلکے مٹیالے رنگ کی چادر اجلی رنگت پر غضب ڈھا رہی تھی۔ بیٹھتے ہوئے چادر سر سے ڈھل کر کندھوں پر آگری تو وکیل صاحب نے دیکھا کہ بال کالے سیاہ اور لانبے تھے۔ چال ڈھال، سلام کہنے اور سونے کے کنگنوں کو کلائیوں پر درست کرنے کے طریقے سے وکیل صاحب نے اندازہ لگایا کہ سائلہ تہذیب یافتہ اور سلجھی ہوئی خاتون تھی۔

حال چال پوچھنے اور چند رسمی جملوں کے تبادلے کے بعد وکیل صاحب نے آنے کا مقصد دریافت کیا۔ خاتون نے بتایا کہ وہ ایک تھیٹر میں گائکہ ہیں اور تھیٹر کے مالک نے پچھلے ایک سال میں ان کی ادائیگی قسطوں میں شروع کر رکھی ہے۔ واجب الادا رقم بڑھتے بڑھتے اب ایک کروڑ سے تجاوز کر چکی ہے۔ پہلے کام اچھا چل رہا تھا اِس لئے انہوں نے تقاضے پر زور نہ دیا۔ اب جب کہ اس تھیٹر میں کام کم ہوتا جا رہا ہے تو وہ ایک دوسرے تھیٹر میں کام کرنا چاہتی ہیں لیکن اگر انہوں نے اپنی رقم وصول کیے بغیر یہ تھیٹر چھوڑا تو مالک انہیں ان کی بقایا رقم کبھی نہ دے گا۔ اس سلسلے میں ان کے قانونی حقوق کیا ہیں وہ معلوم کرنا چاہتی تھیں۔ وکیل صاحب نے تحریری معاہدے کی موجودگی اور تھیٹر کی آمدنی کی دستاویزات سے متعلق ضروری سوالات پوچھ کر جب انہیں بتانا شروع کیا کہ ان کا مقدمہ قانون کی کون سی شق کے تحت ہوگا اور اس کے

فیصلے میں کتنے سال لگیں گے تو خاتون نے مسکرا کر ان کی بات کاٹ دی۔ وکیل صاحب پر واضع کیا کہ مقدمہ دائر کرنے کا ان کا قطعا" کوئی ارادہ نہیں۔ وہ تو صرف اپنے قانونی حقوق سے آگاہی چاہتی تھیں۔ وکیل صاحب نے کچھ حیران ہو کر پوچھا کہ اگر وہ اپنے حق کے لئے عدالت کا دروازہ نہیں کھٹکٹائیں گی تو قانونی مشورہ کس کام کا؟ اِس پر وہ غزالی آنکھیں پھیل کر مزید بڑی ہو گئیں۔

کہنے لگیں "وکیل صاحب، آپ کو معلوم ہو گیا ہو گا کہ میں کس قماش کی عورت ہوں۔ آپ کے معاشرے میں میں طوائف کہلاتی ہوں۔ ایک بے عزت بازاری عورت جو بکاؤ مال ہوتی ہے۔ جسے پیسہ پھینک کر کوئی بھی استعمال کر سکتا ہے۔ میں اگر آپ کی عدالت میں اپنی محنت کا حق مانگنے بھی جاؤں گی تو جواب میں مجھ پر صرف کیچڑ ہی اچھالا جائے گا۔ آپ کی عدالت مفت میں میرے حسن کی تماش بینی تو کر لے گی، مگر میرا حق مجھے نہ دلوائے گی۔" وکیل صاحب نے سگریٹ سلگا لیا اور کچھ اداس ہو کر بولے "خاتون آپ کی بات میں بڑی حد تک سچائی ہے۔ مگر آپ کو دل چھوٹا کرنے کی ضرورت نہیں۔ ہمارا معاشرہ اخلاقی گراوٹ کا شکار ضرور ہے لیکن اب بھی یہاں بہت سے نیک دل لوگ بستے ہیں۔ آپ کے مقدمہ میں بلاشبہ مشکلات دوسرے مقدمات سے زیادہ ہوں گی لیکن اگر آپ ہمت نہ ہاریں تو مقدمے کا فیصلہ انشااللہ آپ کے حق میں ہی ہو گا۔" خاتون نے کرسی پر اپنا پہلو بدلا مگر اس کی وجہ سے جو ان کی چادر نے سرک کر ان کی قمیض کے بڑے گلے کو آشکار کیا اس کی کوئی پروا نہ کی۔ "وکیل صاحب میں بازاری ضرور ہوں مگر انسان ہوں کھلونا نہیں۔ میں اپنا حسن و جمال

اور جسم بیچتی ضرور ہوں مگر آپ کے اس گھٹیا معاشرے کے مردوں کے گندے جسموں کو گدگدانے والا مشینی آلا نہیں ہوں۔ آپ جیسے چند باوقار مردوں کو چھوڑ کر اس معاشرے کے ہر عزت دار مرد سے مل کر میرے دل سے یہی صدا آئی کہ صہ - اچھی صورت بھی کیا بری شے ہے، جس نے ڈالی بری نظر ڈالی۔ جہاں جاتی ہوں گندی نظروں سے چھلنی کی جاتی ہوں۔ ہر مرد مجھے ایسے دیکھتا ہے گویا انسان نہیں نسوانی عضوِ مخصوصہ پہ جڑا ہوا جسم ہوں جسے محض ہر مرد کی عیاشی کا سامان بہم پہنچانے کے لئے پیدا کیا گیا ہو۔" اتنا کہہ کر خاتون کے منہ سے ایک آہ سی نکلی اور باقی الفاظ حلق میں اٹک سے گئے۔ چند لمحے کے لئے کمرے میں خاموشی چھاگئی۔ اسی دوران چائے بھی آگئی۔ خاموش وقفے کے دوران خاتون نے اپنے آپ کو ذرا سنبھالا اور ملازم کے ہاتھ سے چائے کی پیالی لے کر وکیل صاحب کی طرف مسکرا کر دیکھتے ہوئے بولیں "معافی چاہتی ہوں وکیل صاحب، چھوٹا منہ اور بڑی بات والا حساب ہے۔ طوائف میں ہوں اور منہ بھر کر گالیاں معاشرے کو دے رہی ہوں۔ مگر کیا کروں جو بھی ہوں انسان ہوں، اس آرزو میں کہ کبھی تو کوئی مجھے بھی انسان سمجھے سلگتی رہتی ہوں۔ کبھی کبھار ہی آپ جیسے لوگ ملتے ہیں جن کے لئے میرا وجود میری نسوانیت سے بڑھ کر بھی کچھ ہوتا ہے۔ بس ایسے لمحوں میں جی بھر سا آتا ہے اور بے اختیار ہو کر دل کی بھڑاس نکلنے لگتی ہے۔"

وکیل صاحب نے ایک اور سگریٹ سلگا لیا اور بولے "خاتون، میری آپ سے ہمدردی انسانی نہیں پیشہ وارانہ ہے۔ آپ روزی کی خاطر اپنا جسم بیچتی ہیں اور میں

اپنا دماغ۔ جو میرے آگے پیسہ پھینکتا ہے میں اس کے جھوٹے سچے مقدمے کے لئے ہر قسم کی تاویلیں گھڑ کر اسے جتوانے کی کوشش کرتا ہوں۔ بولی میری بھی آپ کی طرح بازار ہی میں لگتی ہے، آپ کے جسم کی اور میری ذہانت کی۔ فرق صرف اتنا ہے کہ میرا کاروبار معاشرے کو قبول ہے مگر آپ کا نہیں۔" خاتون چند لمحے وکیل صاحب کو حیرت زدہ تکتی رہی، پھر ایک پاکیزہ آنسو بے قابو ہو کر بہ نکلا۔

□□□

نہیں نقش گر

کئی سیکنڈ تک وہ فیصلہ نہ کر سکا کہ اُس کی آنکھ کس چیز سے کھلی ہے۔ بچی کے رونے سے یا پیشاب کے پریشر سے۔ ایک طرف سوئی اُس کی منجھلی بیٹی۔ نے ٹانگیں مار مار کر کمبل پائنتی میں اکٹھا کر رکھا تھا۔ دوسری طرف بیوی بیٹھی چھوٹی بیٹی کو چُپ کروا رہی تھی۔ کیا ٹائم ہوا ہے؟ اُس نے بیوی سے پوچھا۔ پونے سات۔ چلو، ابھی الارم بجنے میں پندرہ منٹ ہیں، اُس نے سوچا۔ اور ساتھ ہی کشمکش میں مبتلا ہو گیا کہ پندرہ منٹ لیٹا رہے اور ایک ہی بار اُٹھے یا پھر پیشاب کر کہ آجائے اور پندرہ منٹ لیٹ جائے؟ اُٹھا جا تو نہیں رہا تھا مگر اِس طرح تکلیف میں ٹانگیں اکٹھی کر کہ کبھی اِدھر اور کبھی اُدھر کروٹیں لینے کا کیا فائدہ تھا۔

ایک ہی غسلخانے میں وہ تینوں کیسے تیار ہوئے؟ لڑتے جھگڑتے، ٹکراتے کھٹکھٹاتے، چیختے چلاتے۔ آخر کار تینوں یونیفارم پہن کر تیار ہو گئے۔ تیسری کو نوکرانی کو پکڑا کر بڑی دونوں کو اُن کی ماں سکول چھوڑنے لے چلی۔ دونوں جب اپنے چھوٹے

چھوٹے ہاتھوں سے ہنستے مسکراتے اُسے ٹاٹا کرتی جارہی تھیں تو ہمیشہ کی طرح اُس کا دِل بیٹھنے لگا۔ کل رات دیر سے گھر آیا تھا۔ تھکا ہوا تھا۔ ناول بھی ختم کرنا تھا۔ اُنہیں کہانی نہ سنائی۔ اُن کی ضد کے جواب میں بس چوم کر لِٹا دیا اور کل کہانی سنانے کا وعدہ کر کے ناول پکڑ لیا۔ جب وہ سو گئیں تو اُداس ہو گیا۔ اب وہ دروازے سے غائب ہو گئیں تو اُس کے دِل میں روز جیسے وہم آنے لگے۔ اگر آج وہ مر گیا تو؟ اُس نے تو اُنہیں اچھی طرح پیار بھی نہ کیا تھا۔ گھبرا کے اُس نے سَر جھٹک دیا۔ وقت دیکھا، پونے آٹھ بج رہے تھے۔

شہزاد کو فون کیا۔ پتا چلا فورٹرس سٹیڈیئم کی ٹریفک میں پھنسا ہے، پندرہ بیس منٹ میں پہنچے گا۔ آدھا گھنٹہ، اُس نے سوچا اور ٹی وی لگا لیا۔ رات کا ایک پروگرام نشرِ مکرّر میں چل رہا تھا مگر ساتھ ہی ساتھ سکرین کے نیچے تازہ ترین پٹیاں بھی چلی جارہی تھیں۔ موٹر وے دُھند کی وجہ سے بند کر دی گئی۔ اچانک اُس کی نظر پڑی۔ مَر گئے۔ اُس نے سوچا۔ اب ایک بجے تک اِسلام آباد کیسے پہنچیں گے؟ وہ بھی سپریم کورٹ کے اندر۔ کمرۂ عدالت میں۔ جہاں فل بنچ کے سامنے شہزاد کا کیس لگا تھا۔ پورے ایک بجے۔ اور وہ اُس کا وکیل تھا۔ اُس نے گھبرا کر دوبارہ شہزاد کو فون کیا۔ شہزاد پٹی چل رہی ہے کہ موٹر وے دُھند کی وجہ سے بند ہے۔ اُس کی سنسنی خیزی کے جواب میں آگے سے ٹھنڈا سا جواب آیا، کوئی نہیں، یہاں تو دھوپ نکلی ہوئی ہے۔ وہ گڑبڑا سا گیا۔ باہر تو ابھی تک اُس نے دیکھا ہی نہ تھا۔ کمرے کی کھڑکی پر موٹا پردہ تھا اور غسلخانے کی کھڑکی پر بھی جالی دار پردہ سا پڑا رہتا تھا۔ اُس نے غور نہ کیا تھا کہ باہر دھوپ ہے یا دھند۔ اچھا؟ اں۔ چلو ٹھیک ہے، کہ کر اُس نے پھر فون بند کر دیا۔ پردہ ہٹا کر دیکھا

دھوپ تو نہیں تھی مگر دھند بھی نہیں تھی۔ دوسرا چینل لگا کر دیکھا۔ اُدھر بھی اِسی قسم کی دُھندلی پٹیاں چل رہی تھیں۔ وہ چپ چاپ دیکھتا رہا۔ سوا آٹھ کے لگ بھگ شہزاد کا فون آ گیا کہ وہ باہر ہے۔ فائل اور لنڈے سے ساڑھے تین سو روپے میں خریدا ہوا اصلی چمڑے کا اٹلی کا بنا ہوا بیگ اٹھا کر وہ باہر نکلا۔ گاڑی میں جا کر بیٹھ گیا۔ چل پڑے۔

اُس نے موٹروے کی ویب سائٹ پر جا کر بھی چیک کر لیا تھا کہ دُھند کی وجہ سے لاہور سے لے کر پنڈی بھٹیاں تک سڑک بند ہے۔ پنڈی بھٹیاں، اُس نے سوچا۔ دُلّا بھٹی کا علاقہ۔ وہ دُلا بھٹی جس کو پہلا چوتھائی پنجاب ہیرو سمجھتا ہے، دوسرا چوتھائی پنجاب ڈاکو جبکہ باقی کے دو چوتھائی اُسے کچھ بھی سمجھنا ضروری نہیں سمجھتے۔ کہتے ہیں کہ دلا بھٹی پنجابی رابن ہُڈ تھا۔ رات میں امیروں کو لوٹتا اور دن میں یہ لُوٹ مار کا مال غریبوں میں بانٹ دیتا۔ مُغل شہنشاہ اکبرِ اَعظم کا زمانہ تھا۔ اُس نے فوج بھیج کر گرفتار کروالیا۔ بادشاہ کے سامنے پیش ہوا۔ بادشاہ نے سرزِنش کی تو دلا بھٹی نے شرمندگی کا اظہار کیا، مُعافی کا طلبگار ہوا اور اطاعت کا وعدہ کیا۔ پادشاہ نے خوش ہو کر مُعاف کر دیا۔ اپنے علاقے میں جا کر دُلّے نے پھر وہی قتل و غارت اور لوٹ مار کا بازار گرم کر دیا۔ بادشاہ نے پھر فوج بھیج کر گرفتار کروالیا۔ پھر مُعافی مانگ کر چھُوٹ گیا اور واپس جا کر پھر لُوٹ مار شروع کر دی۔ داستاں گو بتاتے ہیں کہ اِس بار بادشاہ بڑا پریشان ہوا اور اپنے رتن بیربل کو بلا بھیجا۔ بیربل نے بادشاہ سے کہا کہ اِس بار جب دُلّے کو گرفتار کر کہ لایا جائے تو پنڈی بھٹیاں کی مِٹّی بھی لائی جائے۔ بادشاہ نے ایسا ہی کِیا۔ جب دُلّا بادشاہ کے

سامنے حاضر کیا گیا تو اُس نے حسبِ سابق مُعافی مانگ کر اطاعت کی قسمیں کھانا شروع کر دیں۔ بیر بل نے حکم دیا کہ پنڈی بھٹیاں سے لائی گئی مٹی زمین پر بچھائی جائے اور اُس پر دلے کو کھڑا کیا جائے۔ ایسا کیا گیا تو دلا بھٹی نے بادشاہ کو بُرا بھلا کہنا شروع کر دیا۔ بادشاہ نے حیران ہو کر بیر بل سے ماجرا دریافت کیا تو اُس نے ہنس کر کہا، بادشاہ سلامت۔ پنڈی بھٹیاں کی مٹی ہی ایسی ہے۔

اور اِسی مِٹّی تک سڑک بند تھی۔

اُس نے شہزاد سے نہ کہا کہ ویب سائٹ کے مطابق بھی سڑک بند ہے۔ وہ دُھوپ دیکھ کر ڈر گیا تھا۔ ایسا نہ ہو کہ یہ خبریں پرانی ہوں اور اُن کے ٹول پلازہ تک پہنچتے پہنچتے دھند چھٹ چکی ہو اور سڑک کھل جائے۔ اور اگر وہ شہزاد کو زور دے کر جی ٹی روڈ پر لے جائے تو کہیں وہ لیٹ نہ ہو جائیں۔ کیس کا وقت دوپہر ایک بجے تھا۔ اِس طلسماتی دور میں جب عدالتِ اعظمیٰ نے ہفتہ اور اتوار والے دِن بھی کام کرنا شروع کر دیا تھا کچھ بھی ممکن لگتا تھا۔ یہ بھی کہ آپ کے مقدمہ کی تاریخ کے ساتھ ساتھ وقت بھی مقرر ہو۔

اُس نے فائل کھول کر سر اُس میں کھوب لیا۔ درخواست، ساتھ میں لَف ڈھیر سارے دستاویزات، عدالتِ عالیہ اور عدالتِ اُعظمیٰ کے نئے پرانے اور بھانت بھانت کے ایشوز پر رِپورٹڈ کیسز۔ اِلفاظ اُس کی نظروں کے سامنے کیڑے مکوڑوں کی طرح ناچنے لگے۔ اُسے عامر خان کی اِنڈین فلم تارے زمین پر یاد آ گئی۔

ٹول پلازہ پر پہنچ کر اُسے عجیب سا احساس ہوا۔ خوشی اور دُکھ کا مِلا جُلا احساس۔ خُوشی اِس بات کی کہ اُس کی معلومات مُستند ثابت ہوئی تھیں۔ موٹروے بند تھی۔ اور دُکھ اِس بات کا کہ اب کیس میں پہنچنا مُشکل لگ رہا تھا۔ ضرُور شہزاد پریشان ہو گا۔ اُس نے شہزاد کی طرف دیکھے بغیر سوچا۔ اُسی لمحے شہزاد کی کراری لوچ سے بھرپُور آواز آئی، یہ تو واقعی بند ہے، لگتا ہے آج جج صاحبان کے دیدار سے محروم رہ جائیں گے۔ شہزاد کی آواز میں کھنک نمایاں تھی۔ وہ دِل میں ہنسا۔ شہزاد کا کیس اُس کے لئے بہت اہم تھا۔ اگر وہ وقت پر نہ پہنچے تو کچھ بھی ہو سکتا تھا۔ مگر مرد تھا۔ عورتوں کی طرح پریشانی کا اِظہار تھوڑی کر سکتا تھا۔ اُسے تو ہر حالت میں اپنا فولادی کردار نبھانا سِکھایا گیا تھا۔ شہزاد مَر تا مَر جائے گا مگر آہ وزاری نہ کرے گا۔ اُسے انگریزی کی فِلم ریڈرز آف دی لوسٹ آرک کا ایک سِین یاد آگیا۔ نیپال (یا شاید تبت تھا، اُسے سہی یاد نہ آیا) میں ایک موٹے نیپالی (یا تبتی) مرد اور ہیروئین کے بیچ شراب پینے کا مُقابلہ ہو رہا تھا۔ ہیروئین کی حالت ہر گھُونٹ پر خراب ہوتی جا رہی تھی جبکہ موٹا نیپالی مسلسل مسکرا رہا ہوتا ہے اور بڑے سکوُن سے گھونٹ پر گھونٹ بھرے جا رہا ہوتا ہے۔ آخر ایک گھونٹ پر ہیروئین جان جاتی ہے کہ اگر نیپالی اگلا گھونٹ برداشت کر گیا تو وہ اگلے گھونٹ کے بعد ہوش وحواس برقرار نہ رکھ پائے گی۔ نیپالی نے مُسکراتے ہوئے ایک اور گھُونٹ بھرا اور مسکراتا رہا۔ اُس کی مُسکراہٹ دیکھ کر ہیروئین کا دِل بیٹھ گیا۔ لیکن ابھی وہ سوچ ہی رہی تھی کہ اگلا گھُونٹ بھرنے کا رِسک لے یا ہار مان جائے کہ نیپالی مرد اپنی مردانگی اپنی مُسکراہٹ پر بِٹھائے، مُسکراتا مُسکراتا گِر گیا۔ ہم مَرد ایسے ہی ہوتے

ہیں، اُس نے سوچا، ایک دوسرے کو دیکھ دیکھ کر مسکراتے رہتے اور اندر ہی اندر گھلتے رہتے ہیں۔ یہاں تک کہ مٹّی میں مٹّی ہو جاتے ہیں۔

شہزاد نے فیصلہ کیا کہ جی ٹی روڈ پکڑنے کے بجائے شیخوپورہ چلتے ہیں، وہاں سے موٹروے پر چڑھ جائیں گے۔ وہاں سے ضرور کھلی ہو گی۔ معلوم نہیں اِس شہر کا نام مُغل شہنشاہ جہانگیر کے نِک نیم شیخو پر پڑا تھا؟ وہ جو ہرن مینار ہے وہاں وہ جہانگیر کے پالتو ہرن کا مقبرہ ہے؟ اُس نے شہزاد سے نہ پوچھا حالانکہ اُسے پکّا یقین تھا کہ شہزاد کو یہ ساری باتیں معلوم ہوں گی۔ وہ فائل میں سر کھپاتا رہا۔ جو تیاری اُس نے پہلے بھی کئی بار کی تھی اُسی کو یاد کرنے کی کوشش کرتا رہا۔ کافی کچھ یاد آ گیا۔ اور اِتنے میں شیخوپورہ بھی آ گیا۔ اِس بار جیت شہزاد کی ہوئی تھی۔ یہاں سے موٹروے کھلی تھی۔ گاڑی موٹروے کی ہواؤں سے باتیں کرنے لگی۔

اُس نے فائل بند کر دی۔ یہ بینچ کوئی اِتنا اچھا نہیں ہمارے کیس کے لئے، اُس نے شہزاد سے پوچھا، اِس بار تاریخ لینے کی کوشش نہ کریں؟ شہزاد نے کہا اُس نے اِس بارے میں سوچا تھا، مگر ہر وقت سر پر تلوار لٹکتے رہنے سے وہ تنگ آ چکا ہے۔ جو بھی ہونا ہے بس ہو جائے۔ ٹھیک ہے، اُس نے بھی سوچا۔ ہر چہ بادا باد۔

ان دونوں کا خیال تھا کہ شہزاد کے کیس کا فیصلہ اتنا غلط تھا کہ اس پر صرف دو ہی کام کئے جا سکتے تھے۔ ہنسا جا سکتا تھا یا پھر رویا۔ پھر بھی انہوں نے تیسرا کام کرنے کا فیصلہ کیا، یعنی اپیل۔ شہزاد کا ماننا تھا کہ جج اس لئے غلط فیصلے کرتے ہیں کہ وہ رشتہ

داریوں اور دوستیوں، عرفِ عام میں کنکشن کی وجہ سے جج لگتے ہیں اور انہیں دوستیوں اور رشتہ داریوں کو نبھانے میں فیصلے تھوڑے بہت ادھر ادھر کرنے پڑتے ہیں۔ جبکہ اس کا کہنا تھا کہ کنکشن کی دوڑ میں اکثر نالائق اور گھٹیا لوگ اول آجاتے ہیں۔ اس بات پر شہزاد بہت ہنسا کرتا تھا۔ کہتا تم وکیل کس کے ہو؟

اتنے میں ایک بڑی سی کالے شیشوں والی کالی جیپ زوں کر کہ انہیں اوور ٹیک کر گئی۔ اس کے پیچھے دو ڈالوں پر سوار آٹھ مسلح مشٹنڈے گارڈ بھی تھے۔ وہ اس موٹے نیپالی کی طرح مسکراتا رہا۔ مگر اس کا دل ایک دھڑکن بھول گیا۔ یہ طاقتور لوگ ان وحشی درندوں کی طرح تھے جن کے لئے قانون مکڑی کا جالا ثابت ہوتا تھا۔ وہی جالا جس میں وہ لوگ چھوٹے چھوٹے حقیر کیڑے مکوڑوں کی طرح جکڑے ہوئے تھے۔

قیام و طعام آگیا۔ وہ رک گئے۔ الائچی والی میٹھی چائے پی جو پتی، دودھ اور چینی کے بغیر ایک بھورے پاوڈر کو گرم پانی میں گھولنے سے بنتی تھی۔

وہاں دو طرح کے غسلخانے تھے۔ ایک وہ جو گندے تھے، جہاں مائع صابن ایک پیالی میں کھلا رکھا تھا جسے چمچی سے ہاتھ پر ڈال کر مل مل کر جھاگ بنانی پڑتی تھی اور پیشاب کرنے کے لئے قطار اور انتظار تھا، مگر یہ مفت تھا۔ دوسرا غسلخانہ وہ تھا جس پر تالہ پڑا تھا۔ دروازے پر ایک آدمی کھڑا تھا۔ اگر اسے پچاس روپے سکہ رائج الوقت دے دیے جائیں، تو... پہلے آپ پر سلامتی بھیجتا تھا، آپ کو ہاتھ اٹھا کر سلام کرتا تھا اور

پھر آپ کے لئے ایک صاف شفاف اور خوشبودار غسلخانے کا دروازہ کھول دیتا تھا۔ نہ قطار نہ انتظار۔ اندر جگہ جگہ ٹشو پیپر اور پھولوں کے گلدستے سجے ہوتے تھے۔

وہ مفت والے غسلخانے میں گیا۔ شہزاد اس میں بھی نہ گیا۔

بھاگتے دوڑتے وہ عدالت میں پہنچ ہی گئے۔ تقریباً بھاگتے بھاگتے جب وہ کمرہ عدالت میں پہنچے تو معلوم ہوا کہ ان کا مقدمہ پکارا جاچکا تھا اور جج صاحب حکم بدبدا رہے تھے۔ وہ ہانپتے کانپتے روسٹرم پر پہنچے۔ عدالت سے دیر سے آنے کی معافی چاہی۔ بڑے جج صاحب نے حکم لکھوانا چھوڑ کر ان کو ڈانٹنا شروع کر دیا۔ شہزاد کو تو خیر اتنا کچھ نہیں کہا جارہا تھا کہ وہ تو سائل تھا۔ حالانکہ سب کچھ اسی کو کہا جانا چاہیئے تھا کہ دیر اسی کی وجہ سے ہوئی تھی۔ توپوں کے دھانے کا رخ اس کی طرف تھا کہ وکیل کی حیثیت سے وہ عدالت کا افسر تھا، اور ذمہ دار بھی۔ اس نے بڑی منتیں کیں کہ جناب والا تین سال سے مقدمہ کی باری نہیں آرہی تھی، بڑی مشکل سے تاریخ نکلی ہے۔ وہ لاہور سے آئے ہیں۔ مقدمہ چل ہی رہا تھا تو وہ حاضر خدمت ہو چکے تھے۔ وہ ہر طرح سے بحث کے لئے تیار تھے۔ مہربانی کر کہ ان کی بنتی سن لیں اور مقدمہ کا فیصلہ سنا دیں۔ مگر معزز عدالت نے ان کی عزتوں کی دھجیاں اڑادیں۔ انہوں نے دیر کر دی تھی، عدالت ان کا انتظار نہیں کر سکتی تھی، اب اگلی دفعہ فیصلہ ہو گا۔ اور ان کے مقدمہ کی فائل اٹھا کر اپنے سامنے حقارت سے پھینکی۔ ان دونوں کو لگا گویا ان کے منہ پر ماری تھی۔

وہ مڑے تو بھری عدالت میں بہت سے چہروں پر طنزیہ مسکراہٹ تھی۔ انہیں اپنے وجود دو دو من کے محسوس ہو رہے تھے۔ ابھی وہ روسٹرم سے پوری طرح ہٹے بھی نہ تھے کہ جج صاحب کی آواز آئی، ارے شیخ صاحب آ گئے آپ؟ آج بحث کریں گے آپ؟

اسلام آباد کے ٹول پلازہ تک وہ تقریباً خاموش رہے۔ موٹروے پر گاڑی پڑی تو اس نے شہزاد سے پوچھا آج کل وہ کیا پڑھ رہا ہے؟ شہزاد اسے بتانے لگا کہ اس نے مارسل پراوسٹ شروع کیا ہے۔ واقعی؟ وہ کھل اٹھا۔ وہ تو بڑا شاندار لکھاری ہے۔ میلان کندیرا کے بارے میں شہزاد کا کیا خیال ہے؟

باقی کا راستہ کتابوں، نظریوں، فلسفوں اور ادیبوں کی باتوں میں کس طرح کٹا ان دونوں کو پتہ ہی نہ چلا۔ دل ہی دل میں وہ دونوں خوش تھے کہ اب کچھ مہینوں تک مقدمہ کی تاریخ نہیں لگے گی۔

□□□□□